Jean-Paul Sartre

Le mur

Gallimard

A Olga Kosakiewicz

Le mur

On nous poussa dans une grande salle blanche, et mes yeux se mirent à cligner parce que la lumière leur faisait mal. Ensuite, je vis une table et quatre types derrière la table, des civils, qui regardaient des papiers. On avait massé les autres prisonniers dans le fond et il nous fallut traverser toute la pièce pour les rejoindre. Il y en avait plusieurs que je connaissais et d'autres qui devaient être étrangers. Les deux qui étaient devant moi étaient blonds avec des crânes ronds, ils se ressemblaient : des Français, j'imagine. Le plus petit remontait tout le temps son pantalon : c'était nerveux.

Ça dura près de trois heures ; j'étais abruti et j'avais la tête vide mais la pièce était bien chauffée et je trouvais ça plutôt agréable : depuis vingt-quatre heures, nous n'avions pas cessé de grelotter. Les gardiens amenaient les prisonniers l'un après l'autre devant la table. Les quatre types leur demandaient alors leur nom et leur profession. La plupart du temps ils n'allaient pas plus loin — ou bien alors ils posaient une question par-ci par-là : « As-tu pris part au sabotage des munitions ? » Ou bien : « Où étais-tu le matin du 9 et que faisais-tu ? » Ils n'écoutaient pas les réponses ou du moins ils n'en avaient pas l'air : ils se taisaient un moment et regardaient droit devant eux puis ils se mettaient à écrire. Ils demandèrent à Tom si c'était vrai qu'il servait dans la Brigade internationale : Tom ne pouvait pas dire le contraire à cause des papiers qu'on avait trouvés dans sa veste. A Juan ils ne demandèrent rien, mais, après qu'il eut dit son nom, ils écrivirent longtemps.

— C'est mon frère José qui est anarchiste, dit Juan. Vous savez bien qu'il n'est plus ici. Moi je ne suis d'aucun parti, je n'ai jamais fait de politique.

Ils ne répondirent pas. Juan dit encore :

— Je n'ai rien fait. Je ne veux pas payer pour les autres.

Ses lèvres tremblaient. Un gardien le fit taire et l'emmena. C'était mon tour :

— Vous vous appelez Pablo Ibbieta ?

Je dis que oui.

Le type regarda ses papiers et me dit :

— Où est Ramon Gris ?

— Je ne sais pas.

— Vous l'avez caché dans votre maison du 6 au 19.

— Non.

Ils écrivirent un moment et les gardiens me firent sortir. Dans le couloir Tom et Juan attendaient entre deux gardiens. Nous nous mîmes en marche. Tom demanda à un des gardiens :

— Et alors ?

— Quoi ? dit le gardien.

— C'est un interrogatoire ou un jugement ?

— C'était le jugement, dit le gardien.

— Eh bien? Qu'est-ce qu'ils vont faire de nous?
Le gardien répondit sèchement :

— On vous communiquera la sentence dans vos cellules.

En fait, ce qui nous servait de cellule c'était une des caves de l'hôpital. Il y faisait terriblement froid à cause des courants d'air. Toute la nuit nous avions grelotté et pendant la journée ça n'avait guère mieux été. Les cinq jours précédents je les avais passés dans un cachot de l'archevêché, une espèce d'oubliette qui devait dater du Moyen Age : comme il y avait beaucoup de prisonniers et peu de place, on les casait n'importe où. Je ne regrettais pas mon cachot : je n'y avais pas souffert du froid mais j'y étais seul; à la longue c'est irritant. Dans la cave j'avais de la compagnie. Juan ne parlait guère : il avait peur et puis il était trop jeune pour avoir son mot à dire. Mais Tom était beau parleur et il savait très bien l'espagnol.

Dans la cave il y avait un banc et quatre paillasses. Quand ils nous eurent ramenés, nous nous assîmes et nous attendîmes en silence. Tom dit, au bout d'un moment :

— Nous sommes foutus.

— Je le pense aussi, dis-je, mais je crois qu'ils ne feront rien au petit.

— Ils n'ont rien à lui reprocher, dit Tom. C'est le frère d'un militant, voilà tout.

Je regardai Juan : il n'avait pas l'air d'entendre. Tom reprit :

— Tu sais ce qu'ils font à Saragosse? Ils couchent les types sur la route et ils leur passent dessus avec des camions. C'est un Marocain déserteur qui nous l'a dit. Ils disent que c'est pour économiser les munitions.

— Ça n'économise pas l'essence, dis-je.

J'étais irrité contre Tom : il n'aurait pas dû dire
ça.

— Il y a des officiers qui se promènent sur la route,
poursuivit-il, et qui surveillent ça, les mains dans les
poches, en fumant des cigarettes. Tu crois qu'ils
achèveraient les types ? Je t'en fous. Ils les laissent
gueuler. Des fois pendant une heure. Le Marocain
disait que, la première fois, il a manqué dégueuler.

— Je ne crois pas qu'ils fassent ça ici, dis-je. A
moins qu'ils ne manquent vraiment de munitions.

Le jour entrait par quatre soupiraux et par une
ouverture ronde qu'on avait pratiquée au plafond,
sur la gauche, et qui donnait sur le ciel. C'est par ce
trou rond ordinairement fermé par une trappe, qu'on
déchargeait le charbon dans la cave. Juste au-dessous
du trou il y avait un gros tas de poussier ; il avait été
destiné à chauffer l'hôpital, mais, dès le début de la
guerre, on avait évacué les malades et le charbon restait là, inutilisé ; il pleuvait même dessus, à l'occasion,
parce qu'on avait oublié de baisser la trappe.

Tom se mit à grelotter :

— Sacré nom de Dieu, je grelotte, dit-il, voilà
que ça recommence.

Il se leva et se mit à faire de la gymnastique. A
chaque mouvement sa chemise s'ouvrait sur sa poitrine blanche et velue. Il s'étendit sur le dos, leva les
jambes en l'air et fit les ciseaux : je voyais trembler
sa grosse croupe. Tom était costaud mais il avait
trop de graisse. Je pensais que des balles de fusil ou
des pointes de baïonnettes allaient bientôt s'enfoncer
dans cette masse de chair tendre comme dans une
motte de beurre. Ça ne me faisait pas le même effet
que s'il avait été maigre.

Je n'avais pas exactement froid, mais je ne sentais plus mes épaules ni mes bras. De temps en temps, j'avais l'impression qu'il me manquait quelque chose et je commençais à chercher ma veste autour de moi, et puis je me rappelais brusquement qu'ils ne m'avaient pas donné de veste. C'était plutôt pénible. Ils avaient pris nos vêtements pour les donner à leurs soldats et ils ne nous avaient laissé que nos chemises — et ces pantalons de toile que les malades hospitalisés portaient au gros de l'été. Au bout d'un moment, Tom se releva et s'assit près de moi en soufflant.

— Tu es réchauffé ?

— Sacré nom de Dieu, non. Mais je suis essoufflé.

Vers huit heures du soir, un commandant entra avec deux phalangistes. Il avait une feuille de papier à la main. Il demanda au gardien :

— Comment s'appellent-ils, ces trois-là ?

— Steinbock, Ibbieta et Mirbal, dit le gardien.

Le commandant mit ses lorgnons et regarda sa liste :

— Steinbock... Steinbock... Voilà. Vous êtes condamné à mort. Vous serez fusillé demain matin.

Il regarda encore :

— Les deux autres aussi, dit-il.

— C'est pas possible, dit Juan. Pas moi.

Le commandant le regarda d'un air étonné :

— Comment vous appelez-vous ?

— Juan Mirbal, dit-il.

— Eh bien, votre nom est là, dit le commandant, vous êtes condamné.

— Je n'ai rien fait, dit Juan.

Le commandant haussa les épaules et se tourna vers Tom et vers moi.

— Vous êtes Basques ?

— Personne n'est Basque.

Il eut l'air agacé.

— On m'a dit qu'il y avait trois Basques. Je ne vais pas perdre mon temps à leur courir après. Alors naturellement vous ne voulez pas de prêtre ?

Nous ne répondîmes même pas. Il dit :

— Un médecin belge viendra tout à l'heure. Il a l'autorisation de passer la nuit avec vous.

Il fit le salut militaire et sortit.

— Qu'est-ce que je te disais, dit Tom. On est bons.

— Oui, dis-je, c'est vache pour le petit.

Je disais ça pour être juste mais je n'aimais pas le petit. Il avait un visage trop fin et la peur, la souffrance l'avaient défiguré, elles avaient tordu tous ses traits. Trois jours auparavant, c'était un môme dans le genre mièvre, ça peut plaire ; mais maintenant il avait l'air d'une vieille tapette, et je pensais qu'il ne redeviendrait plus jamais jeune, même si on le relâchait. Ça n'aurait pas été mauvais d'avoir un peu de pitié à lui offrir, mais la pitié me dégoûte, il me faisait plutôt horreur.

Il n'avait plus rien dit mais il était devenu gris : son visage et ses mains étaient gris. Il se rassit et regarda le sol avec des yeux ronds. Tom était une bonne âme, il voulut lui prendre le bras, mais le petit se dégagea violemment en faisant une grimace.

— Laisse-le, dis-je à voix basse, tu vois bien qu'il va se mettre à chialer.

Tom obéit à regret ; il aurait aimé consoler le petit ; ça l'aurait occupé et il n'aurait pas été tenté de penser à lui-même. Mais ça m'agaçait : je n'avais jamais pensé à la mort parce que l'occasion ne s'en était pas présentée, mais maintenant l'occasion était là et il n'y avait pas autre chose à faire que de penser à ça.

Tom se mit à parler :

— Tu as bousillé des types, toi ? me demanda-t-il.
Je ne répondis pas. Il commença à m'expliquer
qu'il en avait bousillé six depuis le début du mois
d'août ; il ne se rendait pas compte de la situation,
et je voyais bien qu'il ne *voulait* pas s'en rendre
compte. Moi-même je ne réalisais pas encore tout à
fait, je me demandais si on souffrait beaucoup, je
pensais aux balles, j'imaginais leur grêle brûlante à
travers mon corps. Tout ça c'était en dehors de la véritable question ; mais j'étais tranquille : nous avions
toute la nuit pour comprendre. Au bout d'un moment
Tom cessa de parler et je le regardai du coin de l'œil ;
je vis qu'il était devenu gris, lui aussi, et qu'il avait
l'air misérable, je me dis : « Ça commence. » Il faisait
presque nuit, une lueur terne filtrait à travers les
soupiraux et le tas de charbon, et faisait une grosse
tache sous le ciel ; par le trou du plafond je voyais
déjà une étoile : la nuit serait pure et glacée.

La porte s'ouvrit, et deux gardiens entrèrent. Ils
étaient suivis d'un homme blond qui portait un
uniforme belge. Il nous salua :

— Je suis médecin, dit-il. J'ai l'autorisation de
vous assister en ces pénibles circonstances.

Il avait une voix agréable et distinguée. Je lui dis :

— Qu'est-ce que vous venez faire ici ?

— Je me mets à votre disposition. Je ferai tout
mon possible pour que ces quelques heures vous soient
moins lourdes.

— Pourquoi êtes-vous venu chez nous ? Il y a
d'autres types, l'hôpital en est plein.

— On m'a envoyé ici, répondit-il d'un air vague.
« Ah ! vous aimeriez fumer, hein ? ajouta-t-il précipitamment. J'ai des cigarettes et même des cigares. »

Il nous offrit des cigarettes anglaises et des puros, mais nous refusâmes. Je le regardai dans les yeux, et il parut gêné. Je lui dis :

— Vous ne venez pas ici par compassion. D'ailleurs je vous connais. Je vous ai vu avec des fascistes dans la cour de la caserne, le jour où on m'a arrêté.

J'allais continuer, mais tout d'un coup il m'arriva quelque chose qui me surprit : la présence de ce médecin cessa brusquement de m'intéresser. D'ordinaire, quand je suis sur un homme je ne le lâche pas. Et pourtant l'envie de parler me quitta ; je haussai les épaules et je détournai les yeux. Un peu plus tard, je levai la tête : il m'observait d'un air curieux. Les gardiens s'étaient assis sur une paillasse. Pedro, le grand maigre, se tournait les pouces, l'autre agitait de temps en temps la tête pour s'empêcher de dormir.

— Voulez-vous de la lumière ? dit soudain Pedro au médecin.

L'autre fit « oui » de la tête : je pense qu'il avait à peu près autant d'intelligence qu'une bûche, mais sans doute n'était-il pas méchant. A regarder ses gros yeux bleus et froids, il me sembla qu'il péchait surtout par défaut d'imagination. Pedro sortit et revint avec une lampe à pétrole qu'il posa sur le coin du banc. Elle éclairait mal, mais c'était mieux que rien : la veille on nous avait laissés dans le noir. Je regardai un bon moment le rond de lumière que la lampe faisait au plafond. J'étais fasciné. Et puis, brusquement, je me réveillai, le rond de lumière s'effaça, et je me sentis écrasé sous un poids énorme. Ce n'était pas la pensée de la mort, ni la crainte : c'était anonyme. Les pommettes me brûlaient et j'avais mal au crâne.

Je me secouai et regardai mes deux compagnons. Tom avait enfoui sa tête dans ses mains, je ne voyais

que sa nuque grasse et blanche. Le petit Juan était
de beaucoup le plus mal en point, il avait la bouche
ouverte et ses narines tremblaient. Le médecin s'approcha de lui et lui posa la main sur l'épaule comme
pour le réconforter : mais ses yeux restaient froids.
Puis je vis la main du Belge descendre sournoisement
le long du bras de Juan jusqu'au poignet. Juan se
laissait faire avec indifférence. Le Belge lui prit le
poignet entre trois doigts, avec un air distrait, en
même temps il recula un peu et s'arrangea pour me
tourner le dos. Mais je me penchai en arrière et je le
vis tirer sa montre et la consulter un instant sans
lâcher le poignet du petit. Au bout d'un moment, il
laissa retomber la main inerte et alla s'adosser au
mur, puis, comme s'il se rappelait soudain quelque
chose de très important qu'il fallait noter sur-le-champ,
il prit un carnet dans sa poche et y inscrivit quelques
lignes. « Le salaud, pensai-je avec colère, qu'il ne
vienne pas me tâter le pouls, je lui enverrai mon poing
dans sa sale gueule. »

Il ne vint pas, mais je sentis qu'il me regardait. Je
levai la tête et lui rendis son regard. Il me dit d'une
voix impersonnelle :

— Vous ne trouvez pas qu'on grelotte ici ?

Il avait l'air d'avoir froid ; il était violet.

— Je n'ai pas froid, lui répondis-je.

Il ne cessait pas de me regarder, d'un œil dur.
Brusquement je compris et je portai mes mains
à ma figure : j'étais trempé de sueur. Dans cette cave,
au gros de l'hiver, en plein courant d'air, je suais.
Je passai les doigts dans mes cheveux qui étaient
feutrés par la transpiration ; en même temps, je m'aperçus que ma chemise était humide et collait à ma peau :
je ruisselais depuis une heure au moins et je n'avais

rien senti. Mais ça n'avait pas échappé au cochon de
Belge ; il avait vu les gouttes rouler sur mes joues et
il avait pensé : c'est la manifestation d'un état de
terreur quasi pathologique ; et il s'était senti normal
et fier de l'être parce qu'il avait froid. Je voulus me
lever pour aller lui casser la figure, mais à peine avais-je
ébauché un geste que ma honte et ma colère furent
effacées ; je retombai sur le banc avec indifférence.

Je me contentai de me frictionner le cou avec
mon mouchoir parce que, maintenant, je sentais la
sueur qui gouttait de mes cheveux sur ma nuque et
c'était désagréable. Je renonçai d'ailleurs bientôt
à me frictionner, c'était inutile : déjà mon mouchoir
était bon à tordre, et je suais toujours. Je suais aussi
des fesses et mon pantalon humide adhérait au banc.

Le petit Juan parla tout à coup.

— Vous êtes médecin ?

— Oui, dit le Belge.

— Est-ce qu'on souffre... longtemps ?

— Oh ! Quand... ? Mais non, dit le Belge d'une voix
paternelle, c'est vite fini.

Il avait l'air de rassurer un malade payant.

— Mais je... on m'avait dit... qu'il fallait souvent
deux salves.

— Quelquefois, dit le Belge en hochant la tête.
Il peut se faire que la première salve n'atteigne aucun
des organes vitaux.

— Alors il faut qu'ils rechargent les fusils et qu'ils
visent de nouveau ?

Il réfléchit et ajouta d'une voix enrouée :

— Ça prend du temps !

Il avait une peur affreuse de souffrir, il ne pensait
qu'à ça : c'était de son âge. Moi je n'y pensais plus

beaucoup et ce n'était pas la crainte de souffrir qui me faisait transpirer.

Je me levai et je marchai jusqu'au tas de poussier. Tom sursauta et me jeta un regard haineux : je l'agaçais parce que mes souliers craquaient. Je me demandais si j'avais le visage aussi terreux que lui : je vis qu'il suait aussi. Le ciel était superbe, aucune lumière ne se glissait dans ce coin sombre, et je n'avais qu'à lever la tête pour apercevoir la Grande Ourse. Mais ça n'était plus comme auparavant : l'avant-veille, de mon cachot de l'archevêché, je pouvais voir un grand morceau de ciel et chaque heure du jour me rappelait un souvenir différent. Le matin quand le ciel était d'un bleu dur et léger, je pensais à des plages au bord de l'Atlantique ; à midi je voyais le soleil et je me rappelais un bar de Séville, où je buvais du manzanilla en mangeant des anchois et des olives ; l'après-midi j'étais à l'ombre et je pensais à l'ombre profonde qui s'étend sur la moitié des arènes pendant que l'autre moitié scintille au soleil : c'était vraiment pénible de voir ainsi toute la terre se refléter dans le ciel. Mais à présent je pouvais regarder en l'air tant que je voulais, le ciel ne m'évoquait plus rien. J'aimais mieux ça. Je revins m'asseoir près de Tom. Un long moment passa.

Tom se mit à parler, d'une voix basse. Il fallait toujours qu'il parlât, sans ça il ne se reconnaissait pas bien dans ses pensées. Je pense que c'était à moi qu'il s'adressait mais il ne me regardait pas. Sans doute avait-il peur de me voir comme j'étais, gris et suant : nous étions pareils et pires que des miroirs l'un pour l'autre. Il regardait le Belge, le vivant.

— Tu comprends, toi ? disait-il. Moi, je comprends pas.

Je me mis aussi à parler à voix basse. Je regardais le Belge.

— Quoi, qu'est-ce qu'il y a ?

— Il va nous arriver quelque chose que je ne peux pas comprendre.

Il y avait une étrange odeur autour de Tom. Il me sembla que j'étais plus sensible aux odeurs qu'à l'ordinaire. Je ricanai :

— Tu comprendras tout à l'heure.

— Ça n'est pas clair, dit-il d'un air obstiné. Je veux bien avoir du courage, mais il faudrait au moins que je sache... Écoute, on va nous amener dans la cour. Les types vont se ranger devant nous. Combien seront-ils ?

— Je ne sais pas. Cinq ou huit. Pas plus.

— Ça va. Ils seront huit. On leur criera : « En joue », et je verrai les huit fusils braqués sur moi. Je pense que je voudrai rentrer dans le mur, je pousserai le mur avec le dos de toutes mes forces, et le mur résistera, comme dans les cauchemars. Tout ça je peux me l'imaginer. Ah ! si tu savais comme je peux me l'imaginer.

— Ça va ! lui dis-je, je me l'imagine aussi.

— Ça doit faire un mal de chien. Tu sais qu'ils visent les yeux et la bouche pour défigurer, ajouta-t-il méchamment. Je sens déjà les blessures ; depuis une heure j'ai des douleurs dans la tête et dans le cou. Pas de vraies douleurs ; c'est pis : ce sont les douleurs que je sentirai demain matin. Mais après ?

Je comprenais très bien ce qu'il voulait dire, mais je ne voulais pas en avoir l'air. Quant aux douleurs, moi aussi je les portais dans mon corps, comme une foule de petites balafres. Je ne pouvais pas m'y faire, mais j'étais comme lui, je n'y attachais pas d'importance.

— Après, dis-je rudement, tu boufferas du pissen-
lit.

Il se mit à parler pour lui seul : il ne lâchait pas
des yeux le Belge. Celui-ci n'avait pas l'air d'écouter.
Je savais ce qu'il était venu faire ; ce que nous pen-
sions ne l'intéressait pas ; il était venu regarder nos
corps, des corps qui agonisaient tout vifs.

— C'est comme dans les cauchemars, disait Tom.
On veut penser à quelque chose, on a tout le temps
l'impression que ça y est, qu'on va comprendre et
puis ça glisse, ça vous échappe et ça retombe. Je me
dis : après, il n'y aura plus rien. Mais je ne comprends
pas ce que ça veut dire. Il y a des moments où j'y
arrive presque... et puis ça retombe, je recommence
à penser aux douleurs, aux balles, aux détonations.
Je suis matérialiste, je te le jure ; je ne deviens pas
fou. Mais il y a quelque chose qui ne va pas. Je vois
mon cadavre : ça n'est pas difficile mais c'est *moi*
qui le vois, avec *mes* yeux. Il faudrait que j'arrive à
penser... à penser que je ne verrai plus rien, que je
n'entendrai plus rien et que le monde continuera pour
les autres. On n'est pas faits pour penser ça, Pablo.
Tu peux me croire : ça m'est déjà arrivé de veiller
toute une nuit en attendant quelque chose. Mais
cette chose-là, ça n'est pas pareil : ça nous prendra
par-derrière, Pablo, et nous n'aurons pas pu nous y
préparer.

— La ferme, lui dis-je, veux-tu que j'appelle un
confesseur ?

Il ne répondit pas. J'avais déjà remarqué qu'il
avait tendance à faire le prophète et à m'appeler
Pablo en parlant d'une voix blanche. Je n'aimais pas
beaucoup ça ; mais il paraît que tous les Irlandais
sont ainsi. J'avais l'impression vague qu'il sentait

l'urine. Au fond je n'avais pas beaucoup de sympathie
pour Tom et je ne voyais pas pourquoi, sous prétexte
que nous allions mourir ensemble, j'aurais dû en avoir
davantage. Il y a des types avec qui ç'aurait été différent. Avec Ramon Gris, par exemple. Mais, entre
Tom et Juan, je me sentais seul. D'ailleurs, j'aimais
mieux ça : avec Ramon je me serais peut-être attendri.
Mais j'étais terriblement dur, à ce moment-là, et je
voulais rester dur.

Il continua à mâchonner des mots, avec une espèce
de distraction. Il parlait sûrement pour s'empêcher
de penser. Il sentait l'urine à plein nez comme les
vieux prostatiques. Naturellement j'étais de son avis,
tout ce qu'il disait j'aurais pu le dire : ça n'est pas
naturel de mourir. Et, depuis que j'allais mourir,
plus rien ne me semblait naturel, ni ce tas de poussier,
ni le banc, ni la sale gueule de Pedro. Seulement,
ça me déplaisait de penser les mêmes choses que Tom.
Et je savais bien que, tout au long de la nuit, à cinq
minutes près, nous continuerions à penser les choses
en même temps, à suer ou à frissonner en même temps.
Je le regardai de côté et, pour la première fois, il me
parut étrange : il portait sa mort sur sa figure. J'étais
blessé dans mon orgueil : pendant vingt-quatre heures,
j'avais vécu aux côtés de Tom, je l'avais écouté, je
lui avais parlé, et je savais que nous n'avions rien
de commun. Et maintenant nous nous ressemblions
comme des frères jumeaux, simplement parce que
nous allions crever ensemble. Tom me prit la main
sans me regarder :

— Pablo, je me demande... je me demande si c'est
bien vrai qu'on s'anéantit.

Je dégageai ma main, je lui dis :

— Regarde entre tes pieds, salaud.

Il y avait une flaque entre ses pieds, et des gouttes tombaient de son pantalon.

— Qu'est-ce que c'est ? dit-il avec effarement.

— Tu pisses dans ta culotte, lui dis-je.

— C'est pas vrai, dit-il furieux, je ne pisse pas, je ne sens rien.

Le Belge s'était approché. Il demanda avec une fausse sollicitude :

— Vous vous sentez souffrant ?

Tom ne répondit pas. Le Belge regarda la flaque sans rien dire.

— Je ne sais pas ce que c'est, dit Tom d'un ton farouche, mais je n'ai pas peur. Je vous jure que je n'ai pas peur.

Le Belge ne répondit pas. Tom se leva et alla pisser dans un coin. Il revint en boutonnant sa braguette, se rassit et ne souffla plus mot. Le Belge prenait des notes.

Nous le regardions tous les trois parce qu'il était vivant. Il avait les gestes d'un vivant, les soucis d'un vivant ; il grelottait dans cette cave, comme devaient grelotter les vivants ; il avait un corps obéissant et bien nourri. Nous autres nous ne sentions plus guère nos corps — plus de la même façon, en tout cas. J'avais envie de tâter mon pantalon, entre mes jambes, mais je n'osais pas ; je regardais le Belge, arqué sur ses jambes, maître de ses muscles — et qui pouvait penser à demain. Nous étions là, trois ombres privées de sang ; nous le regardions et nous sucions sa vie comme des vampires.

Il finit par s'approcher du petit Juan. Voulut-il lui tâter la nuque pour quelque motif professionnel ou bien obéit-il à une impulsion charitable ? S'il agit par charité ce fut la seule et unique fois de toute la

nuit. Il caressa le crâne et le cou du petit Juan. Le
petit se laissait faire, sans le quitter des yeux, puis,
tout à coup, il lui saisit la main et la regarda d'un
drôle d'air. Il tenait la main du Belge entre les deux
siennes, et elles n'avaient rien de plaisant, les deux
pinces grises qui serraient cette main grasse et rou-
geaude. Je me doutais bien de ce qui allait arriver et
Tom devait s'en douter aussi : mais le Belge n'y voyait
que du feu, il souriait paternellement. Au bout d'un
moment, le petit porta la grosse patte rouge à sa bouche
et voulut la mordre. Le Belge se dégagea vivement
et recula jusqu'au mur en trébuchant. Pendant une
seconde il nous regarda avec horreur, il devait comprendre tout d'un coup que nous n'étions pas des
hommes comme lui. Je me mis à rire, et l'un des gardiens sursauta. L'autre s'était endormi, ses yeux,
grands ouverts, étaient blancs.

　　Je me sentais las et surexcité, à la fois. Je ne voulais plus penser à ce qui arriverait à l'aube, à la mort.
Ça ne rimait à rien, je ne rencontrais que des mots
ou du vide. Mais dès que j'essayais de penser à autre
chose je voyais des canons de fusil braqués sur moi.
J'ai peut-être vécu vingt fois de suite mon exécution ;
une fois même, j'ai cru que ça y était pour de bon :
j'avais dû m'endormir une minute. Ils me traînaient
vers le mur, et je me débattais ; je leur demandais
pardon. Je me réveillai en sursaut et je regardai le
Belge : j'avais peur d'avoir crié dans mon sommeil.
Mais il se lissait la moustache, il n'avait rien remarqué.
Si j'avais voulu, je crois que j'aurais pu dormir un
moment : je veillais depuis quarante-huit heures,
j'étais à bout. Mais je n'avais pas envie de perdre
deux heures de vie : ils seraient venus me réveiller
à l'aube, je les aurais suivis, hébété de sommeil, et

j'aurais clamecé sans faire « ouf » ; je ne voulais pas
de ça, je ne voulais pas mourir comme une bête, je
voulais comprendre. Et puis je craignais d'avoir des
cauchemars. Je me levai, je me promenai de long en
large et, pour me changer les idées, je me mis à penser
à ma vie passée. Une foule de souvenirs me revinrent,
pêle-mêle. Il y en avait de bons et de mauvais — ou
du moins je les appelais comme ça *avant*. Il y avait
des visages et des histoires. Je revis le visage d'un
petit novillero qui s'était fait encorner à Valence
pendant la Feria, celui d'un de mes oncles, celui de
Ramon Gris. Je me rappelai des histoires : comment
j'avais chômé pendant trois mois en 1926, comment
j'avais manqué crever de faim. Je me souvins d'une
nuit que j'avais passée sur un banc à Grenade : je
n'avais pas mangé depuis trois jours, j'étais enragé,
je ne voulais pas crever. Ça me fit sourire. Avec quelle
âpreté, je courais après le bonheur, après les femmes,
après la liberté. Pour quoi faire ? J'avais voulu libérer
l'Espagne, j'admirais Pi y Margall, j'avais adhéré
au mouvement anarchiste, j'avais parlé dans des
réunions publiques : je prenais tout au sérieux, comme
si j'avais été immortel.

A ce moment-là, j'eus l'impression que je tenais
toute ma vie devant moi et je pensai : « C'est un
sacré mensonge. » Elle ne valait rien puisqu'elle était
finie. Je me demandai comment j'avais pu me promener, rigoler avec des filles : je n'aurais pas remué
le petit doigt si seulement j'avais imaginé que je
mourrais comme ça. Ma vie était devant moi, close,
fermée, comme un sac, et pourtant tout ce qu'il y
avait dedans était inachevé. Un instant, j'essayai
de la juger. J'aurais voulu me dire : c'est une belle
vie. Mais on ne pouvait pas porter de jugement sur

elle, c'était une ébauche ; j'avais passé mon temps
à tirer des traites pour l'éternité, je n'avais rien compris. Je ne regrettais rien : il y avait des tas de choses
que j'aurais pu regretter, le goût du manzanilla ou
bien les bains que je prenais en été dans une petite
crique près de Cadix ; mais la mort avait tout désen-
chanté.

Le Belge eut une fameuse idée, soudain.

— Mes amis, nous dit-il, je puis me charger — sous
réserve que l'administration militaire y consentira —
de porter un mot de vous, un souvenir aux gens qui
vous aiment...

Tom grogna :

— J'ai personne.

Je ne répondis rien. Tom attendit un instant, puis
me considéra avec curiosité :

— Tu ne fais rien dire à Concha ?

— Non.

Je détestais cette complicité tendre : c'était ma
faute, j'avais parlé de Concha la nuit précédente,
j'aurais dû me retenir. J'étais avec elle depuis un an.
La veille encore, je me serais coupé un bras à coups
de hache pour la revoir cinq minutes. C'est pour ça
que j'en avais parlé, c'était plus fort que moi. A présent je n'avais plus envie de la revoir, je n'avais
plus rien à lui dire. Je n'aurais même pas voulu la
serrer dans mes bras : j'avais horreur de mon corps
parce qu'il était devenu gris et qu'il suait — et je
n'étais pas sûr de ne pas avoir horreur du sien. Concha
pleurerait quand elle apprendrait ma mort ; pendant
des mois, elle n'aurait plus de goût à vivre. Mais tout
de même c'était moi qui allais mourir. Je pensai à
ses beaux yeux tendres. Quand elle me regardait,
quelque chose passait d'elle à moi. Mais je pensai que

c'était fini : si elle me regardait *à présent* son regard resterait dans ses yeux, il n'irait pas jusqu'à moi. J'étais seul.

Tom aussi était seul, mais pas de la même manière. Il s'était assis à califourchon et il s'était mis à regarder le banc avec une espèce de sourire, il avait l'air étonné. Il avança la main et toucha le bois avec précaution, comme s'il avait peur de casser quelque chose, ensuite il retira vivement sa main et frissonna. Je ne me serais pas amusé à toucher le banc, si j'avais été Tom ; c'était encore de la comédie d'Irlandais, mais je trouvais aussi que les objets avaient un drôle d'air : ils étaient plus effacés, moins denses qu'à l'ordinaire. Il suffisait que je regarde le banc, la lampe, le tas de poussier, pour que je sente que j'allais mourir. Naturellement, je ne pouvais pas clairement penser ma mort, mais je la voyais partout, sur les choses, dans la façon dont les choses avaient reculé et se tenaient à distance, discrètement, comme des gens qui parlent bas au chevet d'un mourant. C'était *sa* mort que Tom venait de toucher sur le banc.

Dans l'état où j'étais, si l'on était venu m'annoncer que je pouvais rentrer tranquillement chez moi, qu'on me laissait la vie sauve, ça m'aurait laissé froid : quelques heures ou quelques années d'attente c'est tout pareil, quand on a perdu l'illusion d'être éternel. Je ne tenais plus à rien, en un sens, j'étais calme. Mais c'était un calme horrible — à cause de mon corps : mon corps, je voyais avec ses yeux, j'entendais avec ses oreilles, mais ça n'était plus moi ; il suait et tremblait tout seul, et je ne le reconnaissais plus. J'étais obligé de le toucher et de le regarder pour savoir ce qu'il devenait, comme si ç'avait été le corps d'un autre. Par moments, je le sentais encore, je sentais

des glissements, des espèces de dégringolades, comme
lorsqu'on est dans un avion qui pique du nez, ou bien
je sentais battre mon cœur. Mais ça ne me rassurait
pas : tout ce qui venait de mon corps avait un sale air
louche. La plupart du temps, il se taisait, il se tenait
coi, et je ne sentais plus rien qu'une espèce de pesanteur, une présence immonde contre moi ; j'avais
l'impression d'être lié à une vermine énorme. A un
moment, je tâtai mon pantalon et je sentis qu'il
étais humide ; je ne savais pas s'il était mouillé de
sueur ou d'urine, mais j'allai pisser sur le tas de charbon, par précaution.

Le Belge tira sa montre et la regarda. Il dit :

— Il est trois heures et demie.

Le salaud! Il avait dû le faire exprès. Tom sauta
en l'air ; nous ne nous étions pas encore aperçus que
le temps s'écoulait ; la nuit nous entourait comme une
masse informe et sombre, je ne me rappelais même
plus qu'elle avait commencé.

Le petit Juan se mit à crier. Il se tordait les mains,
il suppliait :

— Je ne veux pas mourir, je ne veux pas mourir.

Il courut à travers toute la cave en levant les bras
en l'air, puis il s'abattit sur une des paillasses et san-
glota. Tom le regardait avec des yeux mornes et n'avait
même plus envie de le consoler. Par le fait ce n'était
pas la peine : le petit faisait plus de bruit que nous,
mais il était moins atteint : il était comme un malade
qui se défend contre son mal par de la fièvre. Quand
il n'y a même plus de fièvre, c'est beaucoup plus
grave.

Il pleurait : je voyais bien qu'il avait pitié de lui-
même ; il ne pensait pas à la mort. Une seconde, une
seule seconde, j'eus envie de pleurer moi aussi, de

pleurer de pitié sur moi. Mais ce fut le contraire qui arriva : je jetai un coup d'œil sur le petit, je vis ses maigres épaules sanglotantes et je me sentis inhumain : je ne pouvais avoir pitié ni des autres ni de moi-même. Je me dis : « Je veux mourir proprement. »

Tom s'était levé, il se plaça juste en dessous de l'ouverture ronde et se mit à guetter le jour. Moi j'étais buté, je voulais mourir proprement et je ne pensais qu'à ça. Mais, par en dessous, depuis que le médecin nous avait dit l'heure, je sentais le temps qui filait, qui coulait goutte à goutte.

Il faisait encore noir quand j'entendis la voix de Tom :

— Tu les entends.

— Oui.

Des types marchaient dans la cour.

— Qu'est-ce qu'ils viennent foutre ? Ils ne peuvent pourtant pas tirer dans le noir.

Au bout d'un moment nous n'entendîmes plus rien. Je dis à Tom :

— Voilà le jour.

Pedro se leva en bâillant et vint souffler la lampe. Il dit à son copain.

— Mince de froid.

La cave était devenue toute grise. Nous entendîmes des coups de feu dans le lointain.

— Ça commence, dis-je à Tom, ils doivent faire ça dans la cour de derrière.

Tom demanda au médecin de lui donner une cigarette. Moi je n'en voulais pas ; je ne voulais ni cigarettes ni alcool. A partir de cet instant, ils ne cessèrent pas de tirer.

— Tu te rends compte ? dit Tom.

Il voulait ajouter quelque chose mais il se tut, il

regardait la porte. La porte s'ouvrit, et un lieutenant
entra avec quatre soldats. Tom laissa tomber sa cigarette.

— Steinbock ?

Tom ne répondit pas. Ce fut Pedro qui le désigna.

— Juan Mirbal ?

— C'est celui qui est sur la paillasse.

— Levez-vous, dit le lieutenant.

Juan ne bougea pas. Deux soldats le prirent aux
aisselles et le mirent sur ses pieds. Mais dès qu'ils
l'eurent lâché il retomba.

Les soldats hésitèrent.

— Ce n'est pas le premier qui se trouve mal, dit
le lieutenant, vous n'avez qu'à le porter, vous deux ;
on s'arrangera là-bas.

Il se tourna vers Tom :

— Allons, venez.

Tom sortit entre deux soldats. Deux autres soldats
suivaient, ils portaient le petit par les aisselles et par
les jarrets. Il n'était pas évanoui ; il avait les yeux
grands ouverts, et des larmes coulaient le long de
ses joues. Quand je voulus sortir, le lieutenant m'arrêta :

— C'est vous, Ibbieta ?

— Oui.

— Vous allez attendre ici : on viendra vous chercher tout à l'heure.

Ils sortirent. Le Belge et les deux geôliers sortirent
aussi ; je restai seul. Je ne comprenais pas ce qui m'arrivait, mais j'aurais mieux aimé qu'ils en finissent
tout de suite. J'entendais les salves à intervalles
presque réguliers ; à chacune d'elles, je tressaillais.
J'avais envie de hurler et de m'arracher les cheveux.
Mais je serrais les dents et j'enfonçais les mains

dans mes poches parce que je voulais rester propre.

Au bout d'une heure, on vint me chercher et on me conduisit au premier étage, dans une petite pièce qui sentait le cigare et dont la chaleur me parut suffocante. Il y avait là deux officiers qui fumaient assis dans des fauteuils, avec des papiers sur leurs genoux.

— Tu t'appelles Ibbieta?

— Oui.

— Où est Ramon Gris?

— Je ne sais pas.

Celui qui m'interrogeait était petit et gros. Il avait des yeux durs derrière ses lorgnons. Il me dit :

— Approche.

Je m'approchai. Il se leva et me prit par les bras en me regardant d'un air à me faire rentrer sous terre. En même temps, il me pinçait les biceps de toutes ses forces. Ça n'était pas pour me faire mal, c'était le grand jeu : il voulait me dominer. Il jugeait nécessaire aussi de m'envoyer son souffle pourri en pleine figure. Nous restâmes un moment comme ça, moi ça me donnait plutôt envie de rire. Il en faut beaucoup plus pour intimider un homme qui va mourir : ça ne prenait pas. Il me repoussa violemment et se rassit. Il dit :

— C'est ta vie contre la sienne. On te laisse la vie sauve si tu nous dis où il est.

Ces deux types chamarrés avec leurs cravaches et leurs bottes, c'étaient tout de même des hommes qui allaient mourir. Un peu plus tard que moi, mais pas beaucoup plus. Et ils s'occupaient à chercher des noms sur leurs paperasses, ils couraient après d'autres hommes pour les emprisonner ou les supprimer ; ils avaient des opinions sur l'avenir de l'Espagne et sur d'autres sujets. Leurs petites activités me paraissaient choquantes et burlesques : je n'arrivais plus à me mettre à leur place, il me semblait qu'ils étaient fous.

Le petit gros me regardait toujours, en fouettant ses bottes de sa cravache. Tous ses gestes étaient calculés pour lui donner l'allure d'une bête vive et féroce.

— Alors ? C'est compris ?

— Je ne sais pas où est Gris, répondis-je. Je croyais qu'il était à Madrid.

L'autre officier leva sa main pâle avec indolence. Cette indolence aussi était calculée. Je voyais tous leurs petits manèges et j'étais stupéfait qu'il se trouvât des hommes pour s'amuser à ça.

— Vous avez un quart d'heure pour réfléchir, dit-il lentement. Emmenez-le à la lingerie, vous le ramènerez dans un quart d'heure. S'il persiste à refuser, on l'exécutera sur-le-champ.

Ils savaient ce qu'ils faisaient : j'avais passé la nuit dans l'attente ; après ça, ils m'avaient encore fait attendre une heure dans la cave, pendant qu'on fusillait Tom et Juan, et maintenant ils m'enfermaient dans la lingerie ; ils avaient dû préparer leur coup depuis la veille. Ils se disaient que les nerfs s'usent à la longue et ils espéraient m'avoir comme ça.

Ils se trompaient bien. Dans la lingerie, je m'assis sur un escabeau, parce que je me sentais très faible et je me mis à réfléchir. Mais pas à leur proposition. Naturellement, je savais où était Gris : il se cachait chez ses cousins, à quatre kilomètres de la ville. Je savais aussi que je ne révélerais pas sa cachette, sauf s'ils me torturaient (mais ils n'avaient pas l'air d'y songer). Tout cela était parfaitement réglé, définitif et ne m'intéressait nullement. Seulement j'aurais voulu comprendre les raisons de ma conduite. Je préférais plutôt crever que de livrer Gris. Pourquoi ? Je n'aimais plus Ramon Gris. Mon amitié pour lui était morte un peu avant l'aube en même temps que mon amour pour Concha, en même temps que mon désir de vivre. Sans doute je l'estimais toujours; c'était un dur. Mais ça n'était pas pour cette raison que j'acceptais de mourir à sa place; sa vie n'avait pas plus de valeur que la mienne ; aucune vie n'avait de valeur. On allait coller un homme contre un mur et lui tirer dessus jusqu'à ce qu'il en crève : que ce fût moi ou Gris ou un autre c'était pareil. Je savais bien qu'il était plus utile que moi à la cause de l'Espagne, mais je me foutais de l'Espagne et de l'anarchie : rien n'avait plus d'importance. Et pourtant j'étais là, je pouvais sauver ma peau en livrant Gris et je me refusais à le faire. Je trouvais ça plutôt comique : c'était de l'obstination. Je pensai : « Faut-il être têtu ! » Et une drôle de gaieté m'envahit.

Ils vinrent me chercher et me ramenèrent auprès des deux officiers. Un rat partit sous nos pieds et ça m'amusa. Je me tournai vers un des phalangistes et je lui dis :

— Vous avez vu le rat ?

Il ne répondit pas. Il était sombre, il se prenait au sérieux. Moi j'avais envie de rire mais je me retenais parce que j'avais peur, si je commençais, de ne plus pouvoir m'arrêter. Le phalangiste portait des moustaches. Je lui dis encore :

— Il faut couper tes moustaches, ballot.

Je trouvais drôle qu'il laissât de son vivant les poils envahir sa figure. Il me donna un coup de pied sans grande conviction, et je me tus.

— Eh bien, dit le gros officier, tu as réfléchi ?

Je les regardai avec curiosité comme des insectes d'une espèce très rare. Je leur dis :

— Je sais où il est. Il est caché dans le cimetière. Dans un caveau ou dans la cabane des fossoyeurs.

C'était pour leur faire une farce. Je voulais les voir se lever, boucler leurs ceinturons et donner des ordres d'un air affairé.

Ils sautèrent sur leurs pieds.

— Allons-y. Moles, allez demander quinze hommes au lieutenant Lopez. Toi, me dit le petit gros, si tu as dit la vérité, je n'ai qu'une parole. Mais tu le paieras cher si tu t'es fichu de nous.

Ils partirent dans un brouhaha, et j'attendis paisiblement sous la garde des phalangistes. De temps en temps, je souriais parce que je pensais à la tête qu'ils allaient faire. Je me sentais abruti et malicieux. Je les imaginais, soulevant les pierres tombales, ouvrant une à une les portes des caveaux. Je me représentais la situation comme si j'avais été un autre : ce prisonnier obstiné à faire le héros, ces graves phalangistes avec leurs moustaches et ces hommes en uniforme qui couraient entre les tombes ; c'était d'un comique irrésistible.

Au bout d'une demi-heure le petit gros revint seul. Je pensai qu'il venait donner l'ordre de m'exécuter. Les autres devaient être restés au cimetière.

L'officier me regarda. Il n'avait pas du tout l'air penaud.

— Emmenez-le dans la grande cour avec les autres, dit-il. A la fin des opérations militaires, un tribunal régulier décidera de son sort.

Je crus que je n'avais pas compris. Je lui demandai :

— Alors on ne me... on ne me fusillera pas ?...

— Pas maintenant en tout cas. Après, ça ne me regarde plus.

Je ne comprenais toujours pas. Je lui dis :

— Mais pourquoi ?

Il haussa les épaules sans répondre, et les soldats m'emmenèrent. Dans la grande cour il y avait une centaine de prisonniers, des femmes, des enfants, quelques vieillards. Je me mis à tourner autour de la pelouse centrale, j'étais hébété. A midi, on nous fit manger au réfectoire. Deux ou trois types m'interpellèrent. Je devais les connaître, mais je ne leur répondis pas : je ne savais même plus où j'étais.

Vers le soir, on poussa dans la cour une dizaine de prisonniers nouveaux. Je reconnus Garcia, le boulanger. Il me dit :

— Sacré veinard ! Je ne pensais pas te revoir vivant.

— Ils m'avaient condamné à mort, dis-je, et puis ils ont changé d'idée. Je ne sais pas pourquoi.

— Ils m'ont arrêté à deux heures, dit Garcia.

— Pourquoi ?

Garcia ne faisait pas de politique.

— Je ne sais pas, dit-il. Ils arrêtent tous ceux qui ne pensent pas comme eux.

Il baissa la voix.

— Ils ont eu Gris.

Je me mis à trembler.

— Quand ?

— Ce matin. Il avait fait le con. Il a quitté son cousin mardi parce qu'ils avaient eu des mots. Il ne manquait pas de types qui l'auraient caché, mais il ne voulait plus rien devoir à personne. Il a dit : « Je me serais caché chez Ibbieta, mais puisqu'ils l'ont pris j'irai me cacher au cimetière. »

— Au cimetière ?

— Oui. C'était con. Naturellement, ils y ont passé ce matin, ça devait arriver. Ils l'ont trouvé dans la cabane des fossoyeurs. Il leur a tiré dessus, et ils l'ont descendu.

— Au cimetière!

Tout se mit à tourner et je me retrouvai assis par terre : je riais si fort que les larmes me vinrent aux yeux.

La chambre

I

Mme Darbédat tenait un rahat-loukoum entre ses doigts. Elle l'approcha de ses lèvres avec précaution et retint sa respiration de peur que ne s'envolât à son souffle la fine poussière de sucre dont il était saupoudré : « Il est à la rose », se dit-elle. Elle mordit brusquement dans cette chair vitreuse, et un parfum de croupi lui emplit la bouche. « C'est curieux comme la maladie affine les sensations. » Elle se mit à penser à des mosquées, à des Orientaux obséquieux (elle avait été à Alger pendant son voyage de noce) et ses lèvres pâles ébauchèrent un sourire : le rahat-loukoum aussi était obséquieux.

Il fallut qu'elle passât, à plusieurs reprises, le plat de la main sur les pages de son livre, parce qu'elles s'étaient, malgré ses précautions, recouvertes d'une mince couche de poudre blanche. Ses mains faisaient glisser, rouler, crisser les petits grains de sucre sur le papier lisse : « Ça me rappelle Arcachon, quand je lisais sur la plage... » Elle avait passé l'été de 1907 au bord de la mer. Elle portait alors un grand chapeau de paille avec un ruban vert ; elle s'installait tout près de la jetée, avec un roman de Gyp ou de Colette Yver. Le vent faisait pleuvoir sur ses genoux des

tourbillons de sable, et, de temps à autre, elle secouait
son livre en le tenant par les coins. C'était bien la
même sensation : seulement les grains de sable étaient
tout secs, tandis que ces petits graviers de sucre col-
laient un peu au bout de ses doigts. Elle revit une bande
de ciel gris perle au-dessus d'une mer noire. « Ève
n'était pas encore née. » Elle se sentait tout alourdie
de souvenirs et précieuse comme un coffret de santal.
Le nom du roman qu'elle lisait alors lui revint tout à
coup à la mémoire : il s'appelait *Petite Madame*,
il n'était pas ennuyeux. Mais depuis qu'un mal inconnu la retenait dans sa chambre, Mme Darbédat
préférait les mémoires et les ouvrages historiques.
Elle souhaitait que la souffrance, des lectures graves,
une attention vigilante et tournée vers ses souvenirs,
vers ses sentations les plus exquises, la mûrissent
comme un beau fruit de serre.

Elle pensa, avec un peu d'énervement, que son mari
allait bientôt frapper à sa porte. Les autres jours de
la semaine il venait seulement vers le soir, il la baisait
au front en silence et lisait *Le Temps* en face d'elle,
dans la bergère. Mais, le jeudi, c'était « le jour » de
M. Darbédat : il allait passer une heure chez sa fille,
en général de trois à quatre. Avant de sortir, il entrait
chez sa femme et tous deux s'entretenaient de leur
gendre avec amertume. Ces conversations du jeudi,
prévisibles jusqu'en leurs moindres détails, épuisaient
Mme Darbédat. M. Darbédat remplissait la calme
chambre de sa présence. Il ne s'asseyait pas, marchait
de long en large, tournait sur lui-même. Chacun de
ses emportements blessait Mme Darbédat comme un
éclat de verre. Ce jeudi-là, c'était pis encore que de
coutume : à la pensée qu'il faudrait, tout à l'heure,
répéter à son mari les aveux d'Ève et voir ce grand

corps terrifiant bondir de fureur, Mme Darbédat avait des sueurs. Elle prit un loukoum dans la soucoupe, le considéra quelques instants avec hésitation, puis elle le reposa tristement : elle n'aimait pas que son mari la vît manger des loukoums.

Elle sursauta en entendant frapper.

— Entre, dit-elle d'une voix faible.

M. Darbédat entra sur la pointe des pieds.

— Je vais voir Ève, dit-il comme chaque jeudi.

Mme Darbédat lui sourit.

— Tu l'embrasseras pour moi.

M. Darbédat ne répondit pas et plissa le front d'un air soucieux : tous les jeudis à la même heure, une irritation sourde se mêlait aux pesanteurs de la digestion.

— Je passerai voir Franchot en sortant de chez elle, je voudrais qu'il lui parle sérieusement et qu'il tâche de la convaincre.

Il faisait des visites fréquentes au docteur Franchot. Mais en vain. Mme Darbédat haussa les sourcils. Autrefois, quand elle était bien portante, elle haussait volontiers les épaules. Mais depuis que la maladie avait alourdi son corps, elle remplaçait les gestes, qui l'eussent trop fatiguée, par des jeux de physionomie : elle disait oui avec les yeux, non avec les coins de la bouche ; elle levait les sourcils au lieu des épaules.

— Il faudrait pouvoir le lui enlever de force.

— Je t'ai déjà dit que c'était impossible. D'ailleurs la loi est très mal faite. Franchot me disait l'autre jour qu'ils ont des ennuis inimaginables avec les familles : des gens qui ne se décident pas, qui veulent garder le malade chez eux ; les médecins ont les mains liées, ils peuvent donner leur avis, un point c'est tout. Il faudrait, reprit-il, qu'il fasse un scandale

public ou alors qu'elle demande elle-même son inter-
nement.

— Et ça, dit Mme Darbédat, ça n'est pas pour
demain.

— Non.

Il se tourna vers le miroir et, plongeant ses doigts
dans sa barbe, il se mit à la peigner. Mme Darbédat
regardait sans affection la nuque rouge et puissante
de son mari.

— Si elle continue, dit M. Darbédat, elle deviendra
plus toquée que lui, c'est affreusement malsain. Elle
ne le quitte pas d'une semelle, elle ne sort jamais sauf
pour aller te voir, elle ne reçoit personne. L'atmos-
phère de leur chambre est tout simplement irrespi-
rable. Elle n'ouvre jamais la fenêtre parce que Pierre
ne veut pas. Comme si on devait consulter un malade.
Ils font brûler des parfums, je crois, une saleté dans
une cassolette, on se croirait à l'église. Ma parole, je
me demande quelquefois... elle a des yeux bizarres
tu sais.

— Je n'ai pas remarqué, dit Mme Darbédat. Je lui
trouve l'air naturel. Elle a l'air triste, évidemment.

— Elle a une mine de déterrée. Dort-elle ? Mange-
t-elle ? Il ne faut pas l'interroger sur ces sujets-là. Mais
je pense qu'avec un gaillard comme Pierre à ses côtés,
elle ne doit pas fermer l'œil de la nuit. — Il haussa les
épaules : Ce que je trouve fabuleux, c'est que nous,
ses parents, nous n'ayons pas le droit de la protéger
contre elle-même. Note bien que Pierre serait mieux
soigné chez Franchot. Il y a un grand parc. Et puis je
pense, ajouta-t-il en souriant un peu, qu'il s'entendrait
mieux avec des gens de son espèce. Ces êtres-là sont
comme les enfants, il faut les laisser entre eux ; ils
forment une espèce de franc-maçonnerie. C'est là

qu'on aurait dû le mettre dès le premier jour et je dis : pour lui-même. C'était son intérêt bien entendu. »

Il ajouta au bout d'un instant :

— Je te dirai que je n'aime pas la savoir seule avec Pierre, surtout la nuit. Imagine qu'il arrive quelque chose. Pierre a l'air terriblement sournois.

— Je ne sais pas, dit Mme Darbédat, s'il y a lieu de beaucoup s'inquiéter, attendu que c'est un air qu'il a toujours eu. Il donnait l'impression de se moquer du monde. Pauvre garçon, reprit-elle en soupirant, avoir eu son orgueil et en être venu là. Il se croyait plus intelligent que nous tous. Il avait une façon de te dire : « Vous avez raison » pour clore les discussions... C'est une bénédiction pour lui qu'il ne puisse pas voir son état.

Elle se rappelait avec déplaisir ce long visage ironique, toujours un peu penché de côté. Pendant les premiers temps du mariage d'Ève, Mme Darbédat n'eût pas demandé mieux que d'avoir un peu d'intimité avec son gendre. Mais il avait découragé ses efforts : il ne parlait presque pas, il approuvait toujours avec précipitation et d'un air absent.

M. Darbédat suivait son idée :

— Franchot m'a fait visiter son installation, dit-il, c'est superbe. Les malades ont des chambres particulières, avec des fauteuils de cuir, s'il te plaît, et des lits-divans. Il y a un tennis, tu sais, et ils vont faire construire une piscine.

Il s'était planté devant la fenêtre et regardait à travers la vitre en se dandinant un peu sur ses jambes arquées. Soudain, il pivota sur ses talons, les épaules basses, les mains dans les poches, en souplesse. Mme Darbédat sentit qu'elle allait se mettre à transpirer : toutes les fois c'était la même chose ; à présent il allait marcher de long en large comme un ours en cage, et, à chaque pas, ses souliers craqueraient.

— Mon ami, dit-elle, je t'en supplie, assieds-toi, tu me fatigues. — Elle ajouta en hésitant : J'ai quelque chose de grave à te dire.

M. Darbédat s'assit dans la bergère et posa ses mains sur ses genoux ; un léger frisson parcourut l'échine de Mme Darbédat : le moment était venu, il fallait qu'elle parlât.

— Tu sais, dit-elle avec une toux d'embarras, que j'ai vu Ève mardi.

— Oui.

— Nous avons bavardé sur un tas de choses, elle était très gentille, il y a longtemps que je ne l'avais vue si en confiance. Alors je l'ai un peu questionnée, je l'ai fait parler sur Pierre. Eh bien, j'ai appris, ajouta-t-elle, embarrassée de nouveau, qu'elle tient *beaucoup* à lui.

— Je le sais parbleu bien, dit M. Darbédat.

Il agaçait un peu Mme Darbédat : il fallait toujours lui expliquer minutieusement les choses, en mettant les points sur les *i*. Mme Darbédat rêvait de vivre dans le commerce de personnes fines et sensibles qui l'eussent toujours comprise à demi-mot.

— Mais je veux dire, reprit-elle, qu'elle y tient *autrement* que nous ne nous l'imaginions.

M. Darbédat roula des yeux furieux et inquiets, comme chaque fois qu'il ne saisissait pas très bien le sens d'une allusion ou d'une nouvelle :

— Qu'est-ce que ça veut dire ?

— Charles, dit Mme Darbédat, ne me fatigue pas. Tu devrais comprendre qu'une mère peut avoir de la peine à dire certaines choses.

— Je ne comprends pas un traître mot à tout ce

que tu me racontes, dit M. Darbédat avec irritation.
Tu ne veux tout de même pas dire ?...

— Eh bien si! dit-elle.

— Ils ont encore... encore à présent ?

— Oui! Oui! Oui! fit-elle agacée en trois petits
coups secs.

M. Darbédat écarta les bras, baissa la tête et se tut.

— Charles, dit sa femme inquiète, je n'aurais pas dû
te le dire. Mais je ne pouvais pas garder ça pour moi.

— Notre enfant! dit-il d'une voix lente. Avec ce
fou! Il ne la reconnaît même plus, il l'appelle Agathe.
Il faut qu'elle ait perdu le sens de ce qu'elle se doit.

Il releva la tête et regarda sa femme avec sévérité.

— Tu es sûre d'avoir bien compris ?

— Il n'y avait pas de doute possible. Je suis comme
toi, ajouta-t-elle vivement ; je ne pouvais pas la croire
et d'ailleurs je ne la comprends pas. Moi, rien qu'à
l'idée d'être touchée par ce pauvre malheureux...
Enfin, soupira-t-elle, je suppose qu'il la tient par là.

— Hélas! dit M. Darbédat. Tu te souviens de ce
que je t'avais dit quand il est venu nous demander sa
main ? Je t'ai dit : « Je crois qu'il plaît *trop* à Ève. »
Tu n'avais pas voulu me croire.

Il frappa soudain sur la table et rougit violemment :

— C'est de la perversité! Il la prend dans ses bras et
il l'embrasse en l'appelant Agathe et en lui débitant
toutes ses calembredaines sur les statues qui volent
et je ne sais quoi! Et elle se laisse faire! Mais qu'est-ce
qu'il y a donc entre eux ? Qu'elle le plaigne de tout
son cœur, qu'elle le mette dans une maison de repos
où elle puisse le voir tous les jours, à la bonne heure.
Mais je n'aurais jamais pensé... Je la considérais
comme veuve. Écoute, Jeannette, dit-il d'une voix
grave, je vais te parler franchement ; eh bien, si elle

a des sens, j'aimerais encore mieux qu'elle prenne un amant !

— Charles, tais-toi! cria Mme Darbédat.

M. Darbédat prit d'un air las le chapeau et la canne qu'il avait déposés en entrant, sur un guéridon.

— Après ce que tu viens de me dire, conclut-il, il ne me reste pas beaucoup d'espoir. Enfin, je lui parlerai tout de même parce que c'est mon devoir.

Mme Darbédat avait hâte qu'il s'en allât.

— Tu sais, dit-elle pour l'encourager, je crois qu'il y a malgré tout chez Ève plus d'entêtement que... d'autre chose. Elle sait qu'il est incurable mais elle s'obstine, elle ne veut pas en avoir le démenti.

M. Darbédat se flattait rêveusement la barbe.

— De l'entêtement ? Oui, peut-être. Eh bien, si tu as raison, elle finira par se lasser. Il n'est pas commode tous les jours et puis il manque de conversation. Quand je lui dis bonjour, il me tend une main molle et il ne parle pas. Dès qu'ils sont seuls, je pense qu'il revient sur ses idées fixes : elle me dit qu'il lui arrive de crier comme un égorgé parce qu'il a des hallucinations. Des statues. Elles lui font peur parce qu'elles bourdonnent. Il dit qu'elles volent autour de lui et qu'elles lui font des yeux blancs.

Il mettait ses gants ; il reprit :

— Elle se lassera, je ne te dis pas. Mais si elle se détraque auparavant ? Je voudrais qu'elle sorte un peu, qu'elle voie du monde : elle rencontrerait quelque gentil garçon — tiens, un type comme Schröder qui est ingénieur chez Simplon, quelqu'un d'avenir, elle le reverrait un petit peu chez les uns, chez les autres, et elle s'habituerait tout doucement à l'idée de refaire sa vie.

Mme Darbédat ne répondit point, par crainte de

faire rebondir la conversation. Son mari se pencha
sur elle.

— Allons, dit-il, il faut que je parte.

— Adieu, papa, dit Mme Darbédat en lui tendant
le front. Embrasse-la bien et dis-lui de ma part qu'elle
est une pauvre chérie.

Quand son mari fut parti, Mme Darbédat se laissa
aller au fond de son fauteuil et ferma les yeux, épuisée. « Quelle vitalité », pensa-t-elle avec reproche. Dès
qu'elle eut retrouvé un peu de force, elle allongea
doucement sa main pâle et prit un loukoum dans la
soucoupe, à tâtons et sans ouvrir les yeux.

Ève habitait avec son mari au cinquième étage d'un
vieil immeuble, rue du Bac. M. Darbédat grimpa les-
tement les cent douze marches de l'escalier. Quand il
appuya sur le bouton de la sonnette, il n'était même
pas essoufflé. Il se rappela avec satisfaction le mot de
Mlle Dormoy : « Pour votre âge, Charles, vous êtes
tout simplement merveilleux. » Jamais il ne se sentait
plus fort ni plus sain que le jeudi, surtout après ces
alertes escalades.

Ce fut Ève qui vint lui ouvrir : « C'est vrai, elle
n'a pas de bonne. Ces filles *ne peuvent pas* rester chez
elle : je me mets à leur place. » Il l'embrassa : « Bonjour, la pauvre chérie. »

Ève lui dit bonjour avec une certaine froideur.

— Tu es un peu pâlotte, dit M. Darbédat en lui
touchant la joue, tu ne prends pas assez d'exercice.

Il y eut un silence.

— Maman va bien ? demanda Ève.

— Couci-couça. Tu l'as vue mardi ? Eh bien, c'est
comme toujours. Ta tante Louise est venue la voir

hier, ça lui a fait plaisir. Elle aime bien recevoir des
visites, mais il ne faut pas qu'elles restent longtemps.
Ta tante Louise venait à Paris avec les petits pour
cette histoire d'hypothèques. Je t'en ai parlé, je
crois, c'est une drôle d'histoire. Elle est passée à mon
bureau pour me demander conseil. Je lui ai dit qu'il
n'y avait pas deux partis à prendre : il faut qu'elle
vende. Elle a trouvé preneur, d'ailleurs : c'est Bretonnel. Tu te rappelles Bretonnel ? Il s'est retiré des
affaires à présent.

Il s'arrêta brusquement : Ève l'écoutait à peine. Il
songea avec tristesse qu'elle ne s'intéressait plus à
rien. « C'est comme les livres. Autrefois, il fallait les
lui arracher. A présent elle ne lit même plus. »

— Comment va Pierre ?

— Bien, dit Ève. Veux-tu le voir ?

— Mais certainement, dit M. Darbédat avec gaieté,
je vais lui faire une petite visite.

Il était plein de compassion pour ce malheureux
garçon, mais il ne pouvait le voir sans répugnance.
« J'ai horreur des êtres malsains. » Évidemment, ce
n'était pas la faute de Pierre : il avait une hérédité
terriblement chargée. M. Darbédat soupirait : « On
a beau prendre des précautions, ces choses-là se
savent toujours trop tard. » Non, Pierre n'était pas
responsable. Mais, tout de même, il avait toujours
porté cette tare en lui ; elle formait le fond de son
caractère ; ça n'était pas comme un cancer ou la tu-
berculose, dont on peut toujours faire abstraction
quand on veut juger l'homme tel qu'il est en lui-
même. Cette grâce nerveuse et cette subtilité qui
avaient tant plu à Ève, quand il faisait sa cour,
c'étaient des fleurs de folie. « Il était déjà fou quand
il l'a épousée ; seulement ça ne se voyait pas. On se

demande, pensa M. Darbédat, où commence la responsabilité, ou, plutôt, où elle s'arrête. En tout cas, il s'analysait trop, il était tout le temps tourné vers lui-même. Mais, est-ce la cause ou l'effet de son mal ? » Il suivait sa fille à travers un long corridor sombre :

— Cet appartement est trop grand pour vous, dit-il, vous devriez déménager.

— Tu me dis ça toutes les fois, papa, répondit Ève, mais je t'ai déjà répondu que Pierre ne veut pas quitter sa chambre.

Ève était étonnante : c'était à se demander si elle se rendait bien compte de l'état de son mari. Il était fou à lier, et elle respectait ses décisions et ses avis comme s'il avait tout son bon sens.

— Ce que j'en dis, c'est pour toi, reprit M. Darbédat légèrement agacé. Il me semble que, si j'étais femme, j'aurais peur dans ces vieilles pièces mal éclairées. Je souhaiterais pour toi un appartement lumineux, comme on en a construit, ces dernières années, du côté d'Auteuil, trois petites pièces bien aérées. Ils ont baissé le prix de leurs loyers parce qu'ils ne trouvent pas de locataires ; ce serait le moment.

Ève tourna doucement le loquet de la porte, et ils entrèrent dans la chambre. M. Darbédat fut pris à la gorge par une lourde odeur d'encens. Les rideaux étaient tirés. Il distingua, dans la pénombre, une nuque maigre au-dessus du dossier d'un fauteuil : Pierre leur tournait le dos : il mangeait.

— Bonjour, Pierre, dit M. Darbédat en élevant la voix. Eh bien, comment allons-nous aujourd'hui ?

M. Darbédat s'approcha : le malade était assis devant une petite table ; il avait l'air sournois.

— Nous avons mangé des œufs à la coque, dit M. Darbédat en haussant encore le ton. C'est bon, ça !

— Je ne suis pas sourd, dit Pierre d'une voix douce.

M. Darbédat, irrité, tourna les yeux vers Ève pour la prendre à témoin. Mais Ève lui rendit un regard dur et se tut. M. Darbédat comprit qu'il l'avait blessée. « Eh bien, tant pis pour elle. » Il était impossible de trouver le ton juste avec ce malheureux garçon : il avait moins de raison qu'un enfant de quatre ans, et Ève aurait voulu qu'on le traitât comme un homme. M. Darbédat ne pouvait se défendre d'attendre avec impatience le moment où tous ces égards ridicules ne seraient plus de saison. Les malades l'agaçaient toujours un peu — et tout particulièrement les fous parce qu'ils avaient tort. Le pauvre Pierre, par exemple, avait tort sur toute la ligne, il ne pouvait souffler mot sans déraisonner, et cependant il eût été vain de lui demander la moindre humilité, ou même une reconnaissance passagère de ses erreurs.

Ève ôta les coquilles d'œuf et le coquetier. Elle mit devant Pierre un couvert avec une fourchette et un couteau.

— Qu'est-ce qu'il va manger, à présent ? dit M. Darbédat, jovial.

— Un bifteck.

Pierre avait pris la fourchette et la tenait au bout de ses longs doigts pâles. Il l'inspecta minutieusement puis il eut un rire léger :

— Ce ne sera pas pour cette fois, murmura-t-il en la reposant ; j'étais prévenu.

Ève s'approcha et regarda la fourchette avec un intérêt passionné.

— Agathe, dit Pierre, donne-m'en une autre.

Ève obéit, et Pierre se mit à manger. Elle avait pris la fourchette suspecte et la tenait serrée dans ses

mains sans la quitter des yeux : elle semblait faire un
violent effort. « Comme tous leurs gestes et tous leurs
rapports sont louches! » pensa M. Darbédat.

Il était mal à l'aise.

— Attention, dit Pierre, prends-la par le milieu du
dos à cause des pinces.

Ève soupira et reposa la fourchette sur la desserte.
M. Darbédat sentit la moutarde lui monter au nez.
Il ne pensait pas qu'il fût bon de céder à toutes les
fantaisies de ce malheureux — même du point de vue
de Pierre, c'était pernicieux. Franchot l'avait bien
dit : « On ne doit jamais entrer dans le délire d'un
malade. » Au lieu de lui donner une autre fourchette,
il aurait mieux valu le raisonner doucement et lui
faire comprendre que la première était toute pareille
aux autres. Il s'avança vers la desserte, prit ostensible-
ment la fourchette et en effleura les dents d'un doigt
léger. Puis il se tourna vers Pierre. Mais celui-ci découpait sa viande d'un air paisible ; il leva sur son
beau-père un regard doux et inexpressif.

— Je voudrais bavarder un peu avec toi, dit
M. Darbédat à Ève.

Ève le suivit docilement au salon. En s'asseyant sur
le canapé, M. Darbédat s'aperçut qu'il avait gardé la
fourchette dans sa main. Il la jeta avec humeur sur
une console.

— Il fait meilleur ici, dit-il.

— Je n'y viens jamais.

— Je peux fumer?

— Mais oui, papa, dit Ève avec empressement. Veux-tu un cigare?

M. Darbédat préféra rouler une cigarette. Il pensait
sans ennui à la discussion qu'il allait entamer. En
parlant à Pierre, il se sentait embarrassé de sa raison

comme un géant peut l'être de sa force quand il joue
avec un enfant. Toutes ses qualités de clarté, de net-
teté, de précision se retournaient contre lui. « Avec
ma pauvre Jeannette, il faut bien l'avouer, c'est un
peu la même chose. » Certes, Mme Darbédat n'était
pas folle, mais la maladie l'avait... assoupie. Ève, au
contraire, tenait de son père, c'était une nature droite
et logique ; avec elle, la discussion devenait un plaisir. « C'est pour cela que je ne veux pas qu'on me
l'abîme. » M. Darbédat leva les yeux ; il voulait revoir les traits intelligents et fins de sa fille. Il fut
déçu : dans ce visage autrefois si raisonnable et trans-
parent, il y avait maintenant quelque chose de
brouillé et d'opaque. Ève était toujours très belle.
M. Darbédat remarqua qu'elle s'était fardée avec
grand soin, presque avec pompe. Elle avait bleui ses
paupières et passé du rimmel sur ses longs cils. Ce
maquillage parfait et violent fit une impression
pénible à son père :

— Tu es verte sous ton fard, lui dit-il, j'ai peur que
tu ne tombes malade. Et comme tu te fardes à présent !
Toi qui étais si discrète.

Ève ne répondit pas et M. Darbédat considéra un
instant avec embarras ce visage éclatant et usé, sous la
lourde masse des cheveux noirs. Il pensa qu'elle avait
l'air d'une tragédienne. « Je sais même exactement à
qui elle ressemble. A cette femme, cette Roumaine
qui a joué *Phèdre* en français au mur d'Orange. » Il
regrettait de lui avoir fait cette remarque désagréable :
« Cela m'a échappé ! Il vaudrait mieux ne pas l'indis-
poser pour de petites choses. »

— Excuse-moi, dit-il en souriant, tu sais que je suis
un vieux naturiste. Je n'aime pas beaucoup toutes ces
pommades que les femmes d'aujourd'hui se collent

sur la figure. Mais c'est moi qui ai tort, il faut vivre
avec son temps.

Ève lui sourit aimablement. M. Darbédat alluma sa
cigarette et en tira quelques bouffées.

— Ma petite enfant, commença-t-il, je voulais
justement te dire : nous allons bavarder, nous deux,
comme autrefois. Allons, assieds-toi et écoute-moi
gentiment ; il faut avoir confiance en son vieux papa.

— J'aime mieux rester debout, dit Ève. Qu'est-ce
que tu as à me dire ?

— Je vais te poser une simple question, dit M. Darbédat un peu plus sèchement. A quoi tout cela te
mènera-t-il ?

— Tout cela ? répéta Ève étonnée.

— Eh bien oui, tout, toute cette vie que tu t'es
faite. Écoute, reprit-il, il ne faut pas croire que je ne te
comprenne pas (il avait eu une illumination sou-
daine). Mais ce que tu veux faire est au-dessus des
forces humaines. Tu veux vivre uniquement par l'imagination, n'est-ce pas ? Tu ne veux pas admettre qu'il
est malade ? Tu ne veux pas voir le Pierre d'aujourd'hui, c'est bien cela ? Tu n'as d'yeux que pour le
Pierre d'autrefois. Ma petite chérie, ma petite fille,
c'est une gageure impossible à tenir, reprit M. Darbédat. Tiens, je vais te raconter une histoire que tu
ne connais peut-être pas : quand nous étions aux
Sables-d'Olonne, tu avais trois ans, ta mère a fait la
connaissance d'une jeune femme charmante qui avait
un petit garçon superbe. Tu jouais sur la plage avec
ce petit garçon, vous étiez hauts comme trois pommes,
tu étais sa fiancée. Quelque temps plus tard, à Paris,
ta mère a voulu revoir cette jeune femme ; on lui a
appris qu'elle avait eu un affreux malheur : son bel
enfant avait été décapité par l'aile avant d'une auto-

mobile. On a dit à ta mère : « Allez la voir mais ne lui parlez surtout pas de la mort de son petit, elle *ne veut pas* croire qu'il est mort. » Ta mère y est allée, elle a trouvé une créature à moitié timbrée : elle vivait comme si son gamin existait encore ; elle lui parlait, elle mettait son couvert à table. Eh bien, elle a vécu dans un tel état de tension nerveuse qu'il a fallu, au bout de six mois, qu'on l'emmène de force dans une maison de repos où elle a dû rester trois ans. Non, mon petit, dit M. Darbédat en secouant la tête, ces choses-là sont impossibles. Il aurait bien mieux valu qu'elle reconnaisse courageusement la vérité. Elle aurait souffert une bonne fois et puis le temps aurait passé l'éponge. Il n'y a rien de tel que de regarder les choses en face, crois-moi.

— Tu te trompes, dit Ève avec effort, je sais très bien que Pierre est...

Le mot ne passa pas. Elle se tenait très droite, elle posait les mains sur le dossier d'un fauteuil : il y avait quelque chose d'aride et de laid dans le bas de son visage.

— Eh bien... alors ? déclara M. Darbédat étonné.

— Alors quoi ?

— Tu... ?

— Je l'aime comme il est, dit Ève rapidement et d'un air ennuyé.

— Ce n'est pas vrai, dit M. Darbédat avec force. Ce n'est pas vrai : tu ne l'aimes pas ; tu ne peux pas l'aimer. On ne peut éprouver de tels sentiments que pour un être sain et normal. Pour Pierre, tu as de la compassion, je n'en doute pas, et sans doute aussi tu gardes le souvenir des trois années de bonheur que tu lui dois. Mais ne me dis pas que tu l'aimes, je ne te croirai pas.

Ève restait muette et fixait le tapis d'un air absent.

— Tu pourrais me répondre, dit M. Darbédat avec froideur. Ne crois pas que cette conversation me soit moins pénible qu'à toi.

— Puisque tu ne me croiras pas.

— Eh bien, si tu l'aimes, s'écria-t-il exaspéré, c'est un grand malheur pour toi, pour moi et pour ta pauvre mère parce que je vais te dire quelque chose que j'aurais préféré te cacher : avant trois ans, Pierre aura sombré dans la démence la plus complète, il sera comme une bête.

Il regarda sa fille avec des yeux durs : il lui en voulait de l'avoir contraint, par son entêtement, à lui faire cette pénible révélation.

Ève ne broncha pas ; elle ne leva même pas les yeux.

— Je le savais.

— Qui te l'a dit ? demanda-t-il stupéfait.

— Franchot. Il y a six mois que je le sais.

— Et moi qui lui avais recommandé de te ménager, dit M. Darbédat avec amertume. Enfin, peut-être cela vaut-il mieux. Mais dans ces conditions tu dois comprendre qu'il serait impardonnable de garder Pierre chez toi. La lutte que tu as entreprise est vouée à l'échec, sa maladie ne pardonne pas. S'il y avait quelque chose à faire, si on pouvait le sauver à force de soins, je ne dis pas. Mais regarde un peu : tu étais jolie, intelligente et gaie, tu te détruis par plaisir et sans profit. Eh bien, c'est entendu, tu as été admirable, mais voilà, c'est fini, tu as fait tout ton devoir, plus que ton devoir ; à présent, il serait immoral d'insister. On a aussi des devoirs envers soi-même, mon enfant. Et puis tu ne penses pas à nous. *Il faut*, répéta-t-il en martelant les mots, que tu envoies Pierre à la clinique de Franchot. Tu abandonneras cet appartement où

tu n'as eu que du malheur et tu reviendras chez nous.
Si tu as envie de te rendre utile et de soulager les
souffrances d'autrui, eh bien, tu as ta mère. La pauvre
femme est soignée par des infirmières, elle aurait bien
besoin d'être un peu entourée. Et *elle*, ajouta-t-il,
elle pourra apprécier ce que tu feras pour elle et t'en
être reconnaissante.

Il y eut un long silence. M. Darbédat entendit
Pierre chanter dans la chambre voisine. C'était à peine
un chant, du reste ; plutôt une sorte de récitatif aigu
et précipité. M. Darbédat leva les yeux sur sa fille :

— Alors, c'est non ?

— Pierre restera avec moi, dit-elle doucement, je
m'entends bien avec lui.

— A condition de bêtifier toute la journée.

Ève sourit et lança à son père un étrange regard
moqueur et presque gai. « C'est vrai, pensa M. Darbédat, furieux, ils ne font pas que ça ; ils couchent
ensemble. »

— Tu es complètement folle, dit-il en se levant.

Ève sourit tristement et murmura, comme pour elle-
même :

— Pas assez.

— Pas assez ? Je ne peux te dire qu'une chose, mon
enfant, tu me fais peur.

Il l'embrassa hâtivement et sortit. « Il faudrait,
pensa-t-il en descendant l'escalier, lui envoyer deux
solides gaillards qui emmèneraient de force ce pauvre
déchet et qui le colleraient sous la douche sans lui
demander son avis. »

C'était un beau jour d'automne, calme et sans mystère ; le soleil dorait les visages des passants. M. Dar-

bédat fut frappé par la simplicité de ces visages : il y en avait de tannés et d'autres étaient lisses, mais ils reflétaient tous des bonheurs et des soucis qui lui étaient familiers.

« Je sais très exactement ce que je reproche à Ève, se dit-il en s'engageant sur le boulevard Saint-Germain. Je lui reproche de vivre en dehors de l'humain. Pierre n'est plus un être humain : tous les soins, tout l'amour qu'elle lui donne, elle en prive un peu tous ces gens-là. On n'a pas le droit de se refuser aux hommes ; quand le diable y serait, nous vivons en société. »

Il dévisageait les passants avec sympathie ; il aimait leurs regards graves et limpides. Dans ces rues ensoleillées, parmi les hommes, on se sentait en sécurité, comme au milieu d'une grande famille.

Une femme en cheveux s'était arrêtée devant un étalage en plein air. Elle tenait une petite fille par la main.

— Qu'est-ce que c'est ? demanda la petite fille en désignant un appareil de T. S. F.

— Touche à rien, dit sa mère, c'est un appareil ; ça fait de la musique.

Elles restèrent un moment sans parler, en extase. M. Darbédat, attendri, se pencha vers la petite fille et lui sourit.

II

« Il est parti. » La porte d'entrée s'était refermée avec un claquement sec ; Ève était seule dans le salon : « Je voudrais qu'il meure. »

Elle crispa ses mains sur le dossier du fauteuil : elle venait de se rappeler les yeux de son père. M. Darbédat s'était penché sur Pierre d'un air compétent ; il lui avait dit : « C'est bon, ça ! » comme quelqu'un qui sait parler aux malades ; il l'avait regardé, et le visage de Pierre s'était peint au fond de ses gros yeux prestes. « Je le hais quand il le regarde, quand je pense qu'il le *voit*. »

Les mains d'Ève glissèrent le long du fauteuil, et elle se tourna vers la fenêtre. Elle était éblouie. La pièce était remplie de soleil, il y en avait partout : sur le tapis en ronds pâles, dans l'air, comme une poussière aveuglante. Ève avait perdu l'habitude de cette lumière indiscrète et diligente, qui furetait partout, récurait tous les coins, qui frottait les meubles et les faisait reluire comme une bonne ménagère. Elle s'avança pourtant jusqu'à la fenêtre et souleva le rideau de mousseline qui pendait contre la vitre. Au même instant, M. Darbédat sortait de l'immeuble ; Ève aperçut tout à coup ses larges épaules. Il leva la

tête et regarda le ciel en clignant des yeux puis il
s'éloigna à grandes enjambées, comme un jeune
homme. « Il se force, pensa Ève, tout à l'heure il aura
son point de côté. » Elle ne le haïssait plus guère :
il y avait si peu de chose dans cette tête ; à peine le
minuscule souci de paraître jeune. Pourtant la colère
la reprit quand elle le vit tourner au coin du boulevard Saint-Germain et disparaître. « Il pense à Pierre. »
Un peu de leur vie s'était échappée de la chambre
close et traînait dans les rues, au soleil, parmi
les gens. « Est-ce qu'on ne pourra donc jamais nous
oublier ? »

La rue du Bac était presque déserte. Une vieille
dame traversait la chaussée à petits pas ; trois jeunes
filles passèrent en riant. Et puis des hommes, des
hommes forts et graves qui portaient des serviettes et
qui parlaient entre eux. « Les gens normaux », pensa
Ève, étonnée de trouver en elle-même une telle puissance de haine. Une belle femme grasse courut au-
devant d'un monsieur élégant. Il l'entoura de ses bras
et l'embrassa sur la bouche. Ève eut un rire dur et
laissa tomber le rideau.

Pierre ne chantait plus, mais la jeune femme du
troisième s'était mise au piano ; elle jouait une *Étude*
de Chopin. Ève se sentait plus calme ; elle fit un pas
vers la chambre de Pierre, mais elle s'arrêta aussitôt
et s'adossa au mur avec un peu d'angoisse : comme
chaque fois qu'elle avait quitté la chambre, elle était
prise de panique à l'idée qu'il lui fallait y rentrer.
Pourtant elle savait bien qu'elle n'aurait pas pu vivre
ailleurs : elle aimait la chambre. Elle parcourut du
regard avec une curiosité froide, comme pour gagner
un peu de temps, cette pièce sans ombres et sans odeur
où elle attendait que son courage revînt. « On dirait

le salon d'un dentiste. » Les fauteuils de soie rose, le
divan, les tabourets étaient sobres et discrets, un peu
paternels ; de bons amis de l'homme. Ève imagina
que des messieurs graves et vêtus d'étoffes claires, tout
pareils à ceux qu'elle avait vus de la fenêtre, entraient
dans le salon en poursuivant une conversation commencée. Ils ne prenaient même pas le temps de reconnaître les lieux ; ils avançaient d'un pas ferme jusqu'au
milieu de la pièce ; l'un d'eux, qui laissait traîner sa
main derrière lui comme un sillage, frôlait au passage
des coussins, des objets, sur les tables, et ne sursautait
même pas à ces contacts. Et quand un meuble se trouvait sur leur chemin, ces hommes posés, loin de faire
un détour pour l'éviter, le changeaient tranquillement
de place. Ils s'asseyaient enfin, toujours plongés dans
leur entretien, sans même jeter un coup d'œil derrière
eux. « Un salon pour gens normaux », pensa Ève.
Elle fixait le bouton de la porte close et l'angoisse lui
serrait la gorge : « Il faut que j'y aille. Je ne le laisse
jamais seul si longtemps. » Il faudrait ouvrir cette
porte ; ensuite Ève se tiendrait sur le seuil, en tâchant
d'habituer ses yeux à la pénombre, et la chambre la
repousserait de toutes ses forces. Il faudrait qu'Ève
triomphât de cette résistance et qu'elle s'enfonçât
jusqu'au cœur de la pièce. Elle eut soudain une envie
violente de voir Pierre ; elle eût aimé se moquer avec
lui de M. Darbédat. Mais Pierre n'avait pas besoin
d'elle ; Ève ne pouvait pas prévoir d'accueil qu'il lui
réservait. Elle pensa soudain avec une sorte d'orgueil
qu'elle n'avait plus de place nulle part. « Les normaux
croient encore que je suis des leurs. Mais je ne pourrais pas rester une heure au milieu d'eux. J'ai besoin
de vivre là-bas, de l'autre côté de ce mur. Mais là-
bas, on ne veut pas de moi. »

Un changement profond s'était fait autour d'elle.
La lumière avait vieilli, elle grisonnait : elle s'était
alourdie, comme l'eau d'un vase de fleurs, quand on
ne l'a pas renouvelée depuis la veille. Sur les objets,
dans cette lumière vieillie, Ève retrouvait une mélancolie qu'elle avait depuis longtemps oubliée : celle
d'un après-midi d'automne qui finit. Elle regardait
autour d'elle, hésitante, presque timide : tout cela
était si loin : dans la chambre il n'y avait ni jour ni
nuit, ni saison, ni mélancolie. Elle se rappela vaguement des automnes très anciens, des automnes de
son enfance puis, soudain, elle se raidit : elle avait peur
des souvenirs.

Elle entendit la voix de Pierre.

— Agathe! Où es-tu?

— Je viens, cria-t-elle.

Elle ouvrit la porte et pénétra dans la chambre.

L'épaisse odeur de l'encens lui emplit les narines
et la bouche, tandis qu'elle écarquillait les yeux et
tendait les mains en avant — le parfum et la pénombre
ne faisaient plus pour elle depuis longtemps, qu'un
seul élément, âcre et ouaté, aussi simple, aussi familier que l'eau, l'air ou le feu — et elle s'avança pru-
demment vers une tache pâle qui semblait flotter
dans la brume. C'était le visage de Pierre : le vête-
ment de Pierre (depuis qu'il était malade, il s'habillait
de noir) s'était fondu dans l'obscurité. Pierre avait
renversé sa tête en arrière et fermé les yeux. Il était
beau. Ève regarda ses longs cils recourbés, puis elle
s'assit près de lui sur la chaise basse. « Il a l'air de
souffrir », pensa-t-elle. Ses yeux s'habituaient peu à
peu à la pénombre. Le bureau émergea le premier,

puis le lit, puis les objets personnels de Pierre, les
ciseaux, le pot de colle, les livres, l'herbier, qui jon-
chaient le tapis près du fauteuil.

— Agathe ?

Pierre avait ouvert les yeux, il la regardait en souriant.

— Tu sais, la fourchette ? dit-il. J'ai fait ça pour
effrayer le type. Elle n'avait *presque* rien.

Les appréhensions d'Ève s'évanouirent et elle eut
un rire léger :

— Tu as très bien réussi, dit-elle, tu l'as complètement affolé.

Pierre sourit.

— As-tu vu ? Il l'a tripotée un bon moment, il
la tenait à pleines mains. Ce qu'il y a, dit-il, c'est
qu'ils ne savent pas prendre les choses ; ils les empoignent.

— C'est vrai, dit Ève.

Pierre frappa légèrement sur la paume de sa main
gauche avec l'index de sa main droite.

— C'est avec ça qu'ils prennent. Ils approchent
leurs doigts et quand ils ont attrapé l'objet, ils pla-
quent leur paume dessus pour l'assommer.

Il parlait d'une voix rapide et du bout des lèvres :
il avait l'air perplexe.

— Je me demande ce qu'ils veulent, dit-il enfin.
Ce type est déjà venu. Pourquoi me l'ont-ils envoyé ?
S'ils veulent savoir ce que je fais, ils n'ont qu'à le
lire sur l'écran, ils n'ont même pas besoin de bouger
de chez eux. Ils font des fautes. Ils ont le pouvoir
mais ils font des fautes. Moi je n'en fais jamais, c'est
mon atout. Hoffka, dit-il, hoffka. — Il agitait ses
longues mains devant son front : La garce! Hoffka
paffka suffka. En veux-tu davantage ?

— C'est la cloche ? demanda Ève.

— Oui. Elle est partie. — Il reprit avec sévérité :
Ce type, c'est un subalterne. Tu le connais, tu es
allée avec lui au salon.

Ève ne répondit pas.

— Qu'est-ce qu'il voulait ? demanda Pierre. Il
a dû te le dire.

Elle hésita un instant puis répondit brutalement :

— Il voulait qu'on t'enferme.

Quand on disait doucement la vérité à Pierre, il
se méfiait, il fallait la lui assener avec violence, pour
étourdir et paralyser les soupçons. Ève aimait encore
mieux le brutaliser que lui mentir : quand elle mentait et qu'il avait l'air de la croire, elle ne pouvait
se défendre d'une très légère impression de supériorité
qui lui donnait horreur d'elle-même.

— M'enfermer ! répéta Pierre avec ironie. Ils
déraillent. Qu'est-ce que ça peut me faire, des murs ?
Ils croient peut-être que ça va m'arrêter. Je me demande quelquefois s'il n'y a pas deux bandes. La vraie,
celle du nègre. Et puis une bande de brouillons qui
cherche à fourrer son nez là-dedans et qui fait sottise
sur sottise.

Il fit sauter sa main sur le bras du fauteuil et la
considéra d'un air réjoui :

— Les murs, ça se traverse. Qu'est-ce que tu lui
as répondu ? demanda-t-il en se tournant vers Ève
avec curiosité.

— Qu'on ne t'enfermerait pas.

Il haussa les épaules.

— Il ne fallait pas dire ça. Toi aussi tu as fait
une faute à moins que tu ne l'aies fait exprès. Il faut
les laisser abattre leur jeu.

Il se tut. Ève baissa tristement la tête : « Ils les

empoignent! » De quel ton méprisant il avait dit ça
— et comme c'était juste. « Est-ce que moi aussi
j'empoigne les objets ? J'ai beau m'observer, je crois
que la plupart de mes gestes l'agacent. Mais il ne le
dit pas. » Elle se sentit soudain misérable, comme
lorsqu'elle avait quatorze ans et que Mme Darbédat,
vive et légère, lui disait : « On croirait que tu ne sais
pas quoi faire de tes mains. » Elle n'osait pas faire un
mouvement et, juste à ce moment, elle eut une envie
irrésistible de changer de position. Elle ramena doucement ses pieds sous sa chaise, effleurant à peine
le tapis. Elle regardait la lampe sur la table — la
lampe dont Pierre avait peint le socle en noir — et le
jeu d'échecs. Sur le damier, Pierre n'avait laissé que
les pions noirs. Quelquefois il se levait, il allait jusqu'à la table et il prenait les pions un à un dans ses
mains. Il leur parlait, il les appelait Robots, et ils
paraissaient s'animer d'une vie sourde entre ses doigts.
Quand il les avait reposés, Ève allait les toucher à
son tour (elle avait l'impression d'être un peu ridicule) :
ils étaient redevenus de petits bouts de bois mort mais
il restait sur eux quelque chose de vague et d'insaisis-
sable, quelque chose comme un sens. « Ce sont *ses*
objets, pensa-t-elle. Il n'y a plus rien à moi dans la
chambre. » Elle avait possédé quelques meubles,
autrefois. La glace et la petite coiffeuse en marqueterie
qui venait de sa grand-mère et que Pierre appelait
par plaisanterie : *ta* coiffeuse. Pierre les avait entraînés
avec lui : à Pierre seul les choses montraient leur
vrai visage. Ève pouvait les regarder pendant des
heures : elles mettaient un entêtement inlassable et
mauvais à la décevoir, à ne lui offrir jamais que leur
apparence — comme au docteur Franchot et à M. Darbédat. « Pourtant, se dit-elle avec angoisse, je ne les

vois plus tout à fait comme mon père. Ce n'est pas
possible que je les voie tout à fait comme lui. »

Elle remua un peu les genoux : elle avait des fourmis dans les jambes. Son corps était raide et tendu,
il lui faisait mal ; elle le sentait trop vivant, indiscret :
« Je voudrais être invisible et rester là ; le voir sans
qu'il me voie. Il n'a pas besoin de moi ; je suis de trop
dans la chambre. » Elle tourna un peu la tête et regarda
le mur au-dessus de Pierre. Sur le mur, des menaces
étaient écrites. Ève le savait mais elle ne pouvait pas
les lire. Elle regardait souvent les grosses roses rouges
de la tenture murale, jusqu'à ce qu'elles se missent
à danser sous ses yeux. Les roses flamboyaient dans
la pénombre. La menace était, la plupart du temps,
inscrite près du plafond, à gauche au-dessus du lit :
mais elle se déplaçait, quelquefois. « Il faut que je
me lève. Je ne peux pas — je ne peux pas rester assise
plus longtemps. » Il y avait aussi, sur le mur, des disques blancs qui ressemblaient à des tranches d'oi-
gnon. Les disques tournèrent sur eux-mêmes et les
mains d'Ève se mirent à trembler : « Il y a des moments où je deviens folle. Mais non, pensa-t-elle
avec amertume, je ne *peux pas* devenir folle. Je
m'énerve, tout simplement. »

Soudain, elle sentit la main de Pierre sur la
sienne.

— Agathe, dit Pierre avec tendresse.

Il lui souriait mais il lui tenait la main du bout des
doigts avec une espèce de répulsion, comme s'il
avait pris un crabe par le dos et qu'il eût voulu éviter
ses pinces.

— Agathe, dit-il, je voudrais tant avoir confiance
en toi.

Ève ferma les yeux, et sa poitrine se souleva : « Il

ne faut rien répondre, sans cela il va se défier, il ne
dira plus rien. »

Pierre avait lâché sa main :

— Je t'aime bien, Agathe, lui dit-il. Mais je ne
peux pas te comprendre. Pourquoi restes-tu tout
le temps dans la chambre ?

Ève ne répondit pas.

— Dis-moi pourquoi.

— Tu sais bien que je t'aime, dit-elle avec sécheresse.

— Je ne te crois pas, dit Pierre. Pourquoi m'aime-
rais-tu ? Je dois te faire horreur : je suis hanté.

Il sourit mais il devint grave tout d'un coup :

— Il y a un mur entre toi et moi. Je te vois, je
te parle, mais tu es de l'autre côté. Qu'est-ce qui nous
empêche de nous aimer ? Il me semble que c'était
plus facile autrefois. A Hambourg.

— Oui, dit Ève tristement. Toujours Hambourg.

Jamais il ne parlait de leur vrai passé. Ni Ève ni
lui n'avaient été à Hambourg.

— Nous nous promenions le long des canaux.
Il y avait un chaland, tu te rappelles ? Le chaland
était noir ; il y avait un chien sur le pont.

Il inventait à mesure ; il avait l'air faux.

— Je te tenais par la main, tu avais une autre
peau. Je croyais tout ce que tu me disais. Taisez-vous,
cria-t-il.

Il écouta un moment :

— Elles vont venir, dit-il d'une voix morne.

Ève sursauta :

— Elles vont venir ? Je croyais déjà qu'elles ne
viendraient plus jamais.

Depuis trois jours, Pierre était plus calme ; les statues n'étaient pas venues. Pierre avait une peur

horrible des statues, quoiqu'il n'en convînt jamais.
Ève n'en avait pas peur : mais quand elles se mettaient
à voler dans la chambre, en bourdonnant, elle avait
peur de Pierre.

— Donne-moi le ziuthre, dit Pierre.

Ève se leva et prit le ziuthre : c'était un assemblage
de morceaux de carton que Pierre avait collés lui-
même : il s'en servait pour conjurer les statues. Le
ziuthre ressemblait à une araignée. Sur un des cartons Pierre avait écrit : « Pouvoir sur l'embûche »
et sur un autre « Noir ». Sur un troisième il avait
dessiné une tête rieuse avec des yeux plissés : c'était
Voltaire. Pierre saisit le ziuthre par une patte et le
considéra d'un air sombre.

— Il ne peut plus me servir, dit-il.

— Pourquoi ?

— Ils l'ont inversé.

— Tu en feras un autre ?

Il la regarda longuement.

— Tu le voudrais bien, dit-il entre ses dents.

Ève était irritée contre Pierre. « Chaque fois qu'elles
viennent, il est averti ; comment fait-il : il ne se trompe
jamais. »

Le ziuthre pendait piteusement au bout des doigts
de Pierre : « Il trouve toujours de bonnes raisons pour
ne pas s'en servir. Dimanche, quand elles sont venues,
il prétendait l'avoir égaré mais je le voyais, moi,
derrière le pot de colle et il ne pouvait pas ne pas le
voir. Je ne demande si ça n'est pas *lui* qui les attire. »
On ne pouvait jamais savoir s'il était tout à fait sin-
cère. A certains moments, Ève avait l'impression
que Pierre était envahi malgré lui par un foisonnement
malsain de pensées et de visions. Mais, à d'autres
moments, Pierre avait l'air d'inventer. « Il souffre.

Mais jusqu'à quel point *croit-il* aux statues et au
nègre ? Les statues, en tout cas, je sais qu'il ne les
voit pas, il les entend seulement : quand elles passent,
il détourne la tête ; il dit tout de même qu'il les voit ;
il les décrit. » Elle se rappela le visage rougeaud du
docteur Franchot : « Mais, chère madame, tous les
aliénés sont des menteurs ; vous perdriez votre temps
si vous vouliez distinguer ce qu'ils ressentent réelle-
ment de ce qu'ils prétendent ressentir. » Elle sursauta :
« Qu'est-ce que Franchot vient faire là-dedans ? Je
ne vais pas me mettre à penser comme lui. »

Pierre s'était levé, il alla jeter le ziuthre dans la
corbeille à papiers : « C'est comme *toi* que je voudrais
penser », murmura-t-elle. Il marchait à petits pas,
sur la pointe des pieds, en serrant les coudes contre
ses hanches, pour occuper le moins de place possible.
Il revint s'asseoir et regarda Ève d'un air fermé.

— Il faudra mettre des tentures noires, dit-il,
il n'y a pas assez de noir dans cette chambre.

Il s'était tassé dans le fauteuil. Ève regarda tristement ce corps avare, toujours prêt à se retirer, à
se recroqueviller : les bras, les jambes, la tête avaient
l'air d'organes rétractiles. Six heures sonnèrent à
la pendule ; le piano s'était tu. Ève soupira : les statues ne viendraient pas tout de suite ; il fallait les
attendre.

— Veux-tu que j'allume ?

Elle aimait mieux ne pas les attendre dans l'obscurité.

— Fais ce que tu veux, dit Pierre.

Ève alluma la petite lampe du bureau, et un brouillard rouge envahit la pièce. Pierre aussi attendait.

Il ne parlait pas mais ses lèvres remuaient, elles
faisaient deux taches sombres dans le brouillard rouge.

Ève aimait les lèvres de Pierre. Elles avaient été,
autrefois, émouvantes et sensuelles ; mais elles avaient
perdu leur sensualité. Elles s'écartaient l'une de
l'autre en frémissant un peu et se rejoignaient sans
cesse, s'écrasaient l'une contre l'autre pour se séparer
de nouveau. Seules, dans ce visage muré, elles vivaient ;
elles avaient l'air de deux bêtes peureuses. Pierre
pouvait marmotter ainsi pendant des heures sans qu'un
son sortît de sa bouche, et, souvent, Ève se laissait
fasciner par ce petit mouvement obstiné. « J'aime
sa bouche. » Il ne l'embrassait plus jamais ; il avait
horreur des contacts : la nuit on le touchait, des
mains d'hommes, dures et sèches, le pinçaient par
tout le corps ; des mains de femmes, aux ongles très
longs, lui faisaient de sales caresses. Souvent, il se
couchait tout habillé, mais les mains se glissaient sous
ses vêtements et tiraient sur sa chemise. Une fois, il
avait entendu rire et des lèvres bouffies s'étaient
posées sur ses lèvres. C'était depuis cette nuit-là, qu'il
n'embrassait plus Ève.

— Agathe, dit Pierre, ne regarde pas ma bouche !

Ève baissa les yeux.

— Je n'ignore pas qu'on peut apprendre à lire sur
les lèvres, poursuivit-il avec insolence.

Sa main tremblait sur le bras du fauteuil. L'index
se tendit, vint frapper trois fois sur le pouce et les
autres doigts se crispèrent : c'était une conjuration.
« Ça va commencer », pensa-t-elle. Elle avait envie de
prendre Pierre dans ses bras.

Pierre se mit à parler très haut, sur un ton très
mondain :

— Te souviens-tu de Sankt Pauli ?

Ne pas répondre. C'était peut-être un piège.

— C'est là que je t'ai connue, dit-il d'un air satis-

fait. Je t'ai soulevée à un marin danois. Nous avons
failli nous battre, mais j'ai payé la tournée et il m'a
laissé t'emmener. Tout cela n'était que comédie.

« Il ment, il ne croit pas un mot de ce qu'il dit.
Il sait que je ne m'appelle pas Agathe. Je le hais
quand il ment. » Mais elle vit ses yeux fixes, et sa
colère fondit. « Il ne ment pas, pensa-t-elle, il est à
bout. Il sent qu'elles approchent ; il parle pour s'empêcher d'entendre. » Pierre se cramponnait des deux
mains au bras du fauteuil. Son visage était blafard ;
il souriait.

— Ces rencontres sont souvent étranges, dit-il,
mais je ne crois pas au hasard. Je ne te demande pas
qui t'avait envoyée, je sais que tu ne répondrais pas.
En tout cas, tu as été assez habile pour m'éclabousser.

Il parlait péniblement, d'une voix aiguë et pressée.
Il y avait des mots qu'il ne pouvait prononcer et qui
sortaient de sa bouche comme une substance molle
et informe.

— Tu m'as entraîné en pleine fête, entre des manèges
d'automobiles noires, mais derrière les autos il y avait
une armée d'yeux rouges qui luisaient dès que j'avais
le dos tourné. Je pense que tu leur faisais des signes,
tout en te pendant à mon bras, mais je ne voyais rien.
J'étais trop absorbé par les grandes cérémonies du
Couronnement.

Il regardait droit devant lui, les yeux grands ouverts. Il se passa la main sur le front, très vite, d'un
geste étriqué et sans cesser de parler : il ne voulait
pas cesser de parler.

— C'était le Couronnement de la République, dit-il
d'une voix stridente, un spectacle impressionnant
dans son genre à cause des animaux de toute espèce
qu'envoyaient les colonies pour la cérémonie. Tu

craignais de t'égarer parmi les singes. J'ai dit parmi les singes, répéta-t-il d'un air arrogant, en regardant autour de lui. *Je pourrais dire parmi les nègres !* Les avortons qui se glissent sous les tables et croient passer inaperçus sont découverts et cloués sur-le-champ par mon Regard. La consigne est de se taire, cria-t-il. De se taire. Tous en place et garde à vous pour l'entrée des statues, c'est l'ordre. Tralala — il hurlait et mettait ses mains en cornet devant sa bouche — tralalala, tralalalala.

Il se tut, et Ève sut que les statues venaient d'entrer dans la chambre. Il se tenait tout raide, pâle et méprisant. Ève se raidit aussi et tous deux attendirent en silence. Quelqu'un marchait dans le corridor : c'était Marie, la femme de ménage, elle venait sans doute d'arriver. Elle pensa : « Il faudra que je lui donne de l'argent pour le gaz. » Et puis les statues se mirent à voler ; elles passaient entre Ève et Pierre.

Pierre fit « Han » et se blottit dans le fauteuil en ramenant ses jambes sous lui. Il détournait la tête ; de temps à autre, il ricanait mais des gouttes de sueur perlaient à son front. Ève ne put supporter la vue de cette joue pâle, de cette bouche qu'une moue tremblante déformait : elle ferma les yeux. Des fils dorés se mirent à danser sur le fond rouge de ses paupières ; elle se sentait vieille et pesante. Pas très loin d'elle, Pierre soufflait bruyamment. « Elles volent, elles bourdonnent ; elles se penchent sur lui... » Elle sentit un chatouillement léger, une gêne à l'épaule et au flanc droit. Instinctivement, son corps s'inclina vers la gauche comme pour éviter un contact désagréable, comme pour laisser passer un objet lourd et maladroit. Soudain, le plancher craqua, et elle eut une envie folle d'ouvrir les yeux, de regarder sur sa droite en balayant l'air de sa main.

Elle n'en fit rien ; elle garda les yeux clos, et une joie âcre la fit frissonner : « *Moi aussi* j'ai peur », pensa-t-elle. Toute sa vie s'était réfugiée dans son côté droit. Elle se pencha vers Pierre, sans ouvrir les yeux. Il lui suffirait d'un tout petit effort et, pour la première fois, elle entrerait dans ce monde tragique. « J'ai peur des statues », pensa-t-elle. C'était une affirmation violente et aveugle, une incantation : de toutes ses forces, elle voulait croire à leur présence ; l'angoisse qui paralysait son côté droit, elle essayait d'en faire un sens nouveau, un toucher. Dans son bras, dans son flanc et son épaule, elle *sentait* leur passage.

Les statues volaient bas et doucement ; elles bourdonnaient. Ève savait qu'elles avaient l'air malicieux et que des cils sortaient de la pierre autour de leurs yeux ; mais elle se les représentait mal. Elle savait aussi qu'elles n'étaient pas encore tout à fait vivantes, mais que des plaques de chair, des écailles tièdes, apparaissaient sur leurs grands corps ; au bout de leurs doigts, la pierre pelait, et leurs paumes les démangeaient. Ève ne pouvait pas *voir* tout cela : elle pensait simplement que d'énormes femmes glissaient tout contre elle, solennelles et grotesques, avec un air humain et l'entêtement compact de la pierre. « Elles se penchent sur Pierre. » Ève faisait un effort si violent que ses mains se mirent à trembler. « Elles se penchent vers moi... » Un cri horrible la glaça tout à coup. « Elles l'ont touché. » Elle ouvrit les yeux : Pierre avait la tête dans ses mains, il haletait. Ève se sentit épuisée : « Un jeu, pensa-t-elle avec remords ; ce n'était qu'un jeu, pas un instant je n'y ai cru sincèrement. Et pendant ce temps-là, il souffrait pour de vrai. »

Pierre se détendit et respira fortement. Mais ses pupilles restaient étrangement dilatées ; il transpirait.

— Tu les as vues ? demanda-t-il.

— Je ne peux pas les voir.

— Ça vaut mieux pour toi, elles te feraient peur. Moi, dit-il, j'ai l'habitude.

Les mains d'Ève tremblaient toujours, elle avait le sang à la tête. Pierre prit une cigarette dans sa poche et la porta à sa bouche. Mais il ne l'alluma pas :

— Ça m'est égal de les voir, dit-il, mais je ne veux pas qu'elles me touchent : j'ai peur qu'elles ne me donnent des boutons.

Il réfléchit un instant et demanda :

— Est-ce que tu les as entendues ?

— Oui, dit Ève, c'est comme un moteur d'avion. (Pierre le lui avait dit en propres termes, le dimanche précédent.)

Pierre sourit avec un peu de condescendance.

— Tu exagères, dit-il. — Mais il restait blême. Il regarda les mains d'Ève. — Tes mains tremblent. Ça t'a impressionnée, ma pauvre Agathe. Mais tu n'as pas besoin de te faire du mauvais sang : elles ne reviendront plus avant demain.

Ève ne pouvait pas parler, elle claquait des dents et elle craignait que Pierre ne s'en aperçût. Pierre la considéra longuement.

— Tu es rudement belle, dit-il en hochant la tête. C'est dommage, c'est vraiment dommage.

Il avança rapidement la main et lui effleura l'oreille.

— Ma belle démone ! Tu me gênes un peu, tu es trop belle : ça me distrait. S'il ne s'agissait pas de récapitulation...

Il s'arrêta et regarda Ève avec surprise :

— Ce n'est pas de ce mot-là... Il est venu... il est venu, dit-il en souriant d'un air vague. J'avais l'autre sur le bout de la langue... et celui-là... s'est mis à sa place. J'ai oublié ce que je te disais.

Il réfléchit un instant et secoua la tête :

— Allons, dit-il, je vais dormir. — Il ajouta d'une voix enfantine : Tu sais, Agathe, je suis fatigué. Je ne trouve plus mes idées.

Il jeta sa cigarette et regarda le tapis d'un air inquiet. Ève lui glissa un oreiller sous la tête.

— Tu peux dormir aussi, lui dit-il en fermant les yeux, elles ne reviendront pas.

« RÉCAPITULATION. » Pierre dormait, il avait un demi-sourire candide ; il penchait la tête : on aurait dit qu'il voulait caresser sa joue à son épaule. Ève n'avait pas sommeil, elle pensait : « Récapitulation. » Pierre avait pris soudain l'air bête, et le mot avait coulé hors de sa bouche, long et blanchâtre. Pierre avait regardé devant lui avec étonnement comme s'il voyait le mot et ne le reconnaissait pas ; sa bouche était ouverte, molle ; quelque chose semblait s'être cassé en lui. « Il a bredouillé. C'est la première fois que ça lui arrive : il s'en est aperçu, d'ailleurs. Il a dit qu'il ne trouvait plus ses idées. » Pierre poussa, un petit gémissement voluptueux, et sa main fit un geste léger. Ève le regarda durement : « Comment va-t-il se réveiller ? » Ça la rongeait. Dès que Pierre dormait, il fallait qu'elle y pensât, elle ne pouvait pas s'en empêcher. Elle avait peur qu'il ne se réveillât avec les yeux troubles et qu'il ne se mît à bredouiller. « Je suis stupide, pensa-t-elle, ça ne doit pas commencer avant un an ; Franchot l'a dit. » Mais l'angoisse ne la quit-

tait pas ; un an ; un hiver, un printemps, un été, le
début d'un autre automne. Un jour, ces traits se brouil-
leraient, il laisserait pendre sa mâchoire, il ouvrirait
à demi des yeux larmoyants. Ève se pencha sur la
main de Pierre et y posa ses lèvres : « Je te tuerai
avant. »

Érostrate

Les hommes, il faut les voir d'en haut. J'éteignais la lumière et je me mettais à la fenêtre : ils ne soupçonnaient même pas qu'on pût les observer d'en dessus. Ils soignent la façade, quelquefois les derrières, mais tous leurs effets sont calculés pour des spectateurs d'un mètre soixante-dix. Qui donc a jamais réfléchi à la forme d'un chapeau melon vu d'un sixième étage ? Ils négligent de défendre leurs épaules et leurs crânes par des couleurs vives et des étoffes voyantes, ils ne savent pas combattre ce grand ennemi de l'Humain : la perspective plongeante. Je me penchais et je me mettais à rire : où donc était-elle, cette fameuse « station debout » dont ils étaient si fiers : ils s'écrasaient contre le trottoir et deux longues jambes à demi rampantes sortaient de dessous leurs épaules.

Au balcon d'un sixième : c'est là que j'aurais dû passer toute ma vie. Il faut étayer les supériorités morales par des symboles matériels, sans quoi elles retombent. Or, précisément, quelle est ma supériorité sur les hommes ? Une supériorité de position, rien d'autre : je me suis placé au-dessus de l'humain qui est en moi et je le contemple. Voilà pourquoi j'aimais les tours de Notre-Dame, les plates-formes de la tour

Eiffel, le Sacré-Cœur, mon sixième de la rue Delambre.
Ce sont d'excellents symboles.

Il fallait quelquefois redescendre dans les rues.
Pour aller au bureau, par exemple. J'étouffais. Quand
on est de plain-pied avec les hommes, il est beaucoup
plus difficile de les considérer comme des fourmis :
ils *touchent*. Une fois, j'ai vu un type mort dans la rue.
Il était tombé sur le nez. On l'a retourné, il saignait.
J'ai vu ses yeux ouverts, et son air louche, et tout ce
sang. Je me disais : « Ce n'est rien, ça n'est pas plus
émouvant que de la peinture fraîche. On lui a badi-
geonné le nez en rouge, voilà tout. » Mais j'ai senti
une sale douceur qui me prenait aux jambes et à la
nuque, je me suis évanoui. Ils m'ont emmené dans
une pharmacie, m'ont donné des claques sur les
épaules et fait boire de l'alcool. Je les aurais tués.

Je savais qu'ils étaient mes ennemis, mais eux ne
le savaient pas. Ils s'aimaient entre eux, ils se serraient les coudes ; et moi, ils m'auraient bien donné
un coup de main par-ci, par-là, parce qu'ils me croyaient
leur semblable. Mais s'ils avaient pu deviner la plus
infime partie de la vérité, ils m'auraient battu. D'ailleurs, ils l'ont fait plus tard. Quand ils m'eurent pris
et qu'ils ont su *qui* j'étais, ils m'ont passé à tabac,
ils m'ont tapé dessus pendant deux heures, au commis-
sariat, ils m'ont donné des gifles et des coups de poing,
ils m'ont tordu les bras, ils m'ont arraché mon pantalon et puis, pour finir, ils ont jeté mon lorgnon par
terre et pendant que je le cherchais, à quatre pattes,
ils m'envoyaient en riant des coups de pied dans le
derrière. J'ai toujours prévu qu'ils finiraient par me
battre : je ne suis pas fort et je ne peux pas me défendre.
Il y en a qui me guettaient depuis longtemps : les
grands. Ils me bousculaient dans la rue, pour rire,

pour voir ce que je ferais. Je ne disais rien. Je faisais semblant de n'avoir pas compris. Et pourtant, ils m'ont eu. J'avais peur d'eux : c'était un pressentiment. Mais vous pensez bien que j'avais des raisons plus sérieuses pour les haïr.

De ce point de vue, tout est allé beaucoup mieux à dater du jour où je me suis acheté un revolver. On se sent fort quand on porte assidûment sur soi une de ces choses qui peuvent exploser et faire du bruit. Je le prenais le dimanche, je le mettais tout simplement dans la poche de mon pantalon et puis j'allais me promener — en général sur les boulevards. Je le sentais qui tirait sur mon pantalon comme un crabe, je le sentais contre ma cuisse, tout froid. Mais peu à peu, il se réchauffait au contact de mon corps. Je marchais avec une certaine raideur, j'avais l'allure du type qui est en train de bander et que sa verge freine à chaque pas. Je glissais ma main dans ma poche et je tâtais l'*objet*. De temps en temps, j'entrais dans un urinoir — même là-dedans je faisais bien attention parce qu'on a souvent des voisins —, je sortais mon revolver, je le soupesais, je regardais sa crosse aux quadrillages noirs et sa gâchette noire qui ressemble à une paupière demi-close. Les autres, ceux qui voyaient, du dehors, mes pieds écartés et le bas de mon pantalon, croyaient que je pissais. Mais je ne pisse jamais dans les urinoirs.

Un soir, l'idée m'est venue de tirer sur des hommes. C'était un samedi soir, j'étais sorti pour chercher Léa, une blonde qui fait le quart devant un hôtel de la rue du Montparnasse. Je n'ai jamais eu de commerce intime avec une femme : je me serais senti volé. On leur monte dessus, c'est entendu, mais elles vous dévorent le bas-ventre avec leur grande bouche

poilue et, à ce que j'ai entendu dire, ce sont elles — et
de loin — qui gagnent à cet échange. Moi je ne demande
rien à personne, mais je ne veux rien donner non plus.
Ou alors il m'aurait fallu une femme froide et pieuse
qui me subisse avec dégoût. Le premier samedi de
chaque mois, je montais avec Léa dans une chambre
de l'hôtel Duquesne. Elle se déshabillait, et je la regardais sans la toucher. Quelquefois, ça partait tout seul
dans mon pantalon ; d'autres fois, j'avais le temps de
rentrer chez moi pour me finir. Ce soir-là, je ne la
trouvai pas à son poste. J'attendis un moment et
comme je ne la voyais pas venir, je supposai qu'elle
était grippée. C'était au début de janvier et il faisait
très froid. J'étais désolé : je suis un imaginatif et je
m'étais vivement représenté le plaisir que je comptais tirer de cette soirée. Il y avait bien, dans la rue
d'Odessa, une brune que j'avais souvent remarquée,
un peu mûre mais ferme et potelée : je ne déteste pas
les femmes mûres : quand elles sont dévêtues, elles ont
l'air plus nues que les autres. Mais elle n'était pas
au courant de mes convenances, et ça m'intimidait un
peu de lui exposer ça de but en blanc. Et puis je me
défie des nouvelles connaissances : ces femmes-là
peuvent très bien cacher un voyou derrière une porte,
et, après ça, le type s'amène tout d'un coup et vous
prend votre argent. Bien heureux s'il ne vous donne
pas des coups de poing. Pourtant, ce soir-là, j'avais
je ne sais quelle hardiesse, je décidai de passer chez
moi pour prendre mon revolver et de tenter l'aventure.

Quand j'abordai la femme, un quart d'heure plus
tard, mon arme était dans ma poche, et je ne craignais plus rien. A la regarder de près, elle avait plutôt l'air misérable. Elle ressemblait à ma voisine
d'en face, la femme de l'adjudant, et j'en fus très

satisfait parce qu'il y avait longtemps que j'avais
envie de la voir à poil, celle-là. Elle s'habillait la fenêtre ouverte, quand l'adjudant était parti, et j'étais
resté souvent derrière mon rideau pour la surprendre.
Mais elle faisait sa toilette au fond de la pièce.

A l'hôtel Stella, il ne restait qu'une chambre libre,
au quatrième. Nous montâmes. La femme était assez
lourde et s'arrêtait à chaque marche, pour souffler.
J'étais très à l'aise : j'ai un corps sec, malgré mon
ventre et il faudrait plus de quatre étages pour me
faire perdre haleine. Sur le palier du quatrième, elle
s'arrêta et mit sa main droite sur son cœur en respi-
rant très fort. De la main gauche elle tenait la clef
de la chambre.

— C'est haut, dit-elle en essayant de me sourire.

Je lui pris la clef sans répondre et j'ouvris la porte.
Je tenais mon revolver de la main gauche, braqué
droit devant moi à travers la poche et je ne le lâchai
qu'après avoir tourné le commutateur. La chambre
était vide. Sur le lavabo, ils avaient mis un petit
carré de savon vert, pour la passe. Je souris : avec
moi ni les bidets ni les petits carrés de savon n'ont
fort à faire. La femme soufflait toujours, derrière moi,
et ça m'excitait. Je me retournai ; elle me tendit
ses lèvres. Je la repoussai.

— Déshabille-toi, lui dis-je.

Il y avait un fauteuil en tapisserie ; je m'assis con-
fortablement. C'est dans ces cas-là que je regrette
de ne pas fumer. La femme ôta sa robe puis s'arrêta
en me jetant un regard méfiant.

— Comment t'appelles-tu ? lui dis-je en me ren-
versant en arrière.

— Renée.

— Eh bien, Renée, presse-toi, j'attends.

— Tu ne te déshabilles pas?

— Va, va, lui dis-je, ne t'occupe pas de moi.

Elle fit tomber son pantalon à ses pieds puis le ramassa et le posa soigneusement sur sa robe avec son soutien-gorge.

— Tu es donc un petit vicieux, mon chéri, un petit paresseux? me demanda-t-elle; tu veux que ce soit ta petite femme qui fasse tout le travail?

En même temps elle fit un pas vers moi et, s'appuyant avec les mains sur les accoudoirs de mon fauteuil, elle essaya lourdement de s'agenouiller entre mes jambes. Mais je la relevai avec rudesse :

— Pas de ça, pas de ça, lui dis-je.

Elle me regarda avec surprise.

— Mais qu'est-ce que tu veux que je te fasse?

— Rien. Marche, promène-toi, je ne t'en demande pas plus.

Elle se mit à marcher de long en large, d'un air gauche. Rien n'embête plus les femmes que de marcher quand elles sont nues. Elles n'ont pas l'habitude de poser les talons à plat. La putain voûtait le dos et laissait pendre ses bras. Pour moi, j'étais aux anges : j'étais là, tranquillement assis dans un fauteuil, vêtu jusqu'au cou, j'avais gardé jusqu'à mes gants, et cette dame mûre s'était mise toute nue sur mon ordre et virevoltait autour de moi.

Elle tourna la tête vers moi et, pour sauver les apparences, me sourit coquettement :

— Tu me trouves belle? Tu te rinces l'œil?

— T'occupe pas de ça?

— Dis donc, me demanda-t-elle avec une indignation subite, t'as l'intention de me faire marcher longtemps comme ça?

— Assieds-toi.

Elle s'assit sur le lit, et nous nous regardâmes en silence. Elle avait la chair de poule. On entendait le tic-tac d'un réveil, de l'autre côté du mur. Tout à coup je lui dis :

— Écarte les jambes.

Elle hésita un quart de seconde, puis elle obéit. Je regardai entre ses jambes et je reniflai. Puis je me mis à rire si fort que les larmes me vinrent aux yeux. Je lui dis simplement :

— Tu te rends compte?

Et je repartis à rire.

Elle me regarda avec stupeur, puis rougit violemment et referma les jambes.

— Salaud, dit-elle entre ses dents.

Mais je ris de plus belle, alors elle se leva d'un bond et prit son soutien-gorge sur la chaise.

— Hé là, lui dis-je, ça n'est pas fini. Je te donnerai cinquante francs tout à l'heure, mais j'en veux pour mon argent.

Elle prit nerveusement son pantalon.

— J'en ai marre, tu comprends. Je ne sais pas ce que tu veux. Et si tu m'as fait monter pour te fiche de moi...

Alors j'ai sorti mon revolver et je le lui ai montré. Elle m'a regardé d'un air sérieux et elle a laissé tomber son pantalon sans rien dire.

— Marche, lui dis-je, promène-toi.

Elle s'est promenée encore cinq minutes. Puis je lui ai donné ma canne et je lui ai fait faire l'exercice. Quand j'ai senti que mon caleçon était mouillé, je me suis levé et je lui ai tendu un billet de cinquante francs. Elle l'a pris.

— Au revoir, ajoutai-je, je ne t'aurai pas beaucoup fatiguée pour le prix.

Je suis parti, je l'ai laissée toute nue au milieu de
la chambre, son soutien-gorge dans une main, le billet de cinquante francs dans l'autre. Je ne regrettais
pas mon argent : je l'avais ahurie et ça ne s'étonne
pas facilement, une putain. J'ai pensé en descendant
l'escalier : « Voilà ce que je voudrais, les étonner tous. »
J'étais joyeux comme un enfant. J'avais emporté le
savon vert et, rentré chez moi, je le frottai longtemps
sous l'eau chaude jusqu'à ce qu'il ne fût plus qu'une
mince pellicule entre mes doigts et qu'il ressemblât
à un bonbon à la menthe sucé très longtemps.

Mais, la nuit, je me réveillai en sursaut et je revis
son visage, les yeux qu'elle faisait quand je lui ai
montré mon feu, et son ventre gras qui sautait à chacun de ses pas.

Que j'ai été bête, me dis-je. Et je sentis un remords
amer : j'aurais dû tirer pendant que j'y étais, crever
ce ventre comme une écumoire. Cette nuit-là et
les trois nuits suivantes, je rêvai de six petits trous
rouges groupés en cercle autour du nombril.

Par la suite je ne sortis plus sans mon revolver. Je
regardais le dos des gens et j'imaginais, d'après leur
démarche, la façon dont ils tomberaient si je leur
tirais dessus. Le dimanche, je pris l'habitude d'aller
me poster devant le Châtelet, à la sortie des concerts
classiques. Vers six heures, j'entendais une sonnerie,
et les ouvreuses venaient assujettir les portes vitrées
avec des crochets. C'était le commencement : la foule
sortait lentement ; les gens marchaient d'un pas
flottant, les yeux encore pleins de rêve, le cœur encore
plein de jolis sentiments. Il y en avait beaucoup qui
regardaient autour d'eux d'un air étonné : la rue
devait leur paraître toute bleue. Alors, ils souriaient
avec mystère : ils passaient d'un monde à l'autre.

C'est dans l'autre que je les attendais, moi. J'avais glissé ma main droite dans ma poche et je serrais de toutes mes forces la crosse de mon arme. Au bout d'un moment, je me *voyais* en train de leur tirer dessus. Je les dégringolais comme des pipes, ils tombaient les uns sur les autres, et les survivants, pris de panique, refluaient dans le théâtre en brisant les vitres des portes. C'était un jeu très énervant : mes mains tremblaient, à la fin, et j'étais obligé d'aller boire un cognac chez Dreher pour me remettre.

Les femmes je ne les aurais pas tuées. Je leur aurais tiré dans les reins. Ou alors dans les mollets, pour les faire danser.

Je n'avais rien décidé encore. Mais je pris le parti de tout faire comme si ma décision était arrêtée. J'ai commencé par régler des détails accessoires. J'ai été m'exercer dans un stand, à la foire de Denfert-Rochereau. Mes cartons n'étaient pas fameux mais les hommes offrent des cibles larges, surtout quand on tire à bout portant. Ensuite, je me suis occupé de ma publicité. J'ai choisi un jour où tous mes collègues étaient réunis au bureau. Un lundi matin. J'étais très aimable avec eux, par principe, bien que j'eusse horreur de leur serrer la main. Ils ôtaient leurs gants pour dire bonjour, ils avaient une façon obscène de déculotter leur main, de rabattre leur gant et de le faire glisser lentement le long des doigts en dévoilant la nudité grasse et chiffonnée de la paume. Moi, je gardais toujours mes gants.

Le lundi matin, on ne fait pas grand-chose. La dactylo du service commercial venait de nous apporter les quittances. Lemercier la plaisanta gentiment, et, quand elle fut sortie, ils détaillèrent ses charmes avec une compétence blasée. Puis ils parlèrent de

Lindbergh. Ils aimaient bien Lindbergh. Je leur dis :

— Moi j'aime les héros noirs.

— Les nègres ? demanda Massé.

— Non, noirs comme on dit Magie noire. Lindbergh est un héros blanc. Il ne m'intéresse pas.

— Allez voir si c'est facile de traverser l'Atlantique,
dit aigrement Bouxin.

Je leur exposai ma conception du héros noir :

— Un anarchiste, résuma Lemercier.

— Non, dis-je doucement, les anarchistes aiment
les hommes à leur façon.

— Alors, ce serait un détraqué.

Mais Massé, qui avait des lettres, intervint à ce
moment :

— Je le connais votre type, me dit-il. Il s'appelle
Érostrate. Il voulait devenir illustre et il n'a rien
trouvé de mieux que de brûler le temple d'Éphèse,
une des sept merveilles du monde.

— Et comment s'appelait l'architecte de ce temple ?

— Je ne me rappelle plus, confessa-t-il, je crois
même qu'on ne sait pas son nom.

— Vraiment ? Et vous vous rappelez le nom d'Érostrate ? Vous voyez qu'il n'avait pas fait un si mauvais calcul.

La conversation prit fin sur ces mots, mais j'étais
bien tranquille ; ils se la rappelleraient au bon moment. Pour moi, qui, jusqu'alors, n'avais jamais entendu parler d'Érostrate, son histoire m'encouragea.
Il y avait plus de deux mille ans qu'il était mort, et
son acte brillait encore, comme un diamant noir.
Je commençais à croire que mon destin serait court
et tragique. Cela me fit peur tout d'abord, et puis je
m'y habituai. Si on prend ça d'une certaine façon,
c'est atroce, mais, d'un autre côté, ça donne à l'instant

qui passe une force et une beauté considérables. Quand je descendais dans la rue, je sentais en mon corps une puissance étrange. J'avais sur moi mon revolver, cette chose qui éclate et qui fait du bruit. Mais ce n'était plus de lui que je tirais mon assurance, c'était de moi : j'étais un être de l'espèce des revolvers, des pétards et des bombes. Moi aussi, un jour, au terme de ma sombre vie, j'exploserais et j'illuminerais le monde d'une flamme violente et brève comme un éclair de magnésium. Il m'arriva, vers cette époque, de faire plusieurs nuits le même rêve. J'étais un anarchiste, je m'étais placé sur le passage du tsar et je portais sur moi une machine infernale. A l'heure dite, le cortège passait, la bombe éclatait, et nous sautions en l'air, moi, le tsar et trois officiers chamarrés d'or, sous les yeux de la foule.

Je restais maintenant des semaines entières sans paraître au bureau. Je me promenais sur les boulevards, au milieu de mes futures victimes, ou bien je m'enfermais dans ma chambre et je tirais des plans. On me congédia au début d'octobre. J'occupai alors mes loisirs en rédigeant la lettre suivante, que je copiai en cent deux exemplaires :

« Monsieur,

« Vous êtes célèbre et vos ouvrages tirent à trente mille. Je vais vous dire pourquoi : c'est que vous aimez les hommes. Vous avez l'humanisme dans le sang : c'est bien de la chance. Vous vous épanouissez quand vous êtes en compagnie ; dès que vous voyez un de vos semblables, sans même le connaître, vous vous sentez de la sympathie pour lui. Vous avez du goût pour son corps, pour la façon dont il est articulé, pour ses jambes qui s'ouvrent et se ferment à volonté,

pour ses mains surtout : ça vous plaît qu'il ait cinq
doigts à chaque main et qu'il puisse opposer le pouce
aux autres doigts. Vous vous délectez, quand votre
voisin prend une tasse sur la table, parce qu'il y a
une manière de prendre qui est proprement humaine
et que vous avez souvent décrite dans vos ouvrages,
moins souple, moins rapide que celle du singe, mais,
n'est-ce pas ? tellement plus intelligente. Vous aimez
aussi la chair de l'homme, son allure de grand blessé
en rééducation, son air de réinventer la marche à
chaque pas et son fameux regard que les fauves ne
peuvent supporter. Il vous a donc été facile de trouver
l'accent qui convient pour parler à l'homme de lui-
même : un accent pudique mais éperdu. Les gens se
jettent sur vos livres avec gourmandise, ils les lisent
dans un bon fauteuil, ils pensent au grand amour
malheureux et discret que vous leur portez et ça les
console de bien des choses, d'être laids, d'être lâches,
d'être cocus, de n'avoir pas reçu d'augmentation au
premier janvier. Et l'on dit volontiers de votre dernier
roman : c'est une bonne action.

« Vous serez curieux de savoir, je suppose, ce que
peut être un homme qui n'aime pas les hommes.
Eh bien, c'est moi, et je les aime si peu que je vais
tout à l'heure en tuer une demi-douzaine : peut-être
vous demanderez-vous : pourquoi *seulement* une demi-
douzaine ? Parce que mon revolver n'a que six car-
touches. Voilà une monstruosité, n'est-ce pas ? Et,
de plus, un acte proprement impolitique ? Mais je
vous dis que je ne *peux pas* les aimer. Je comprends
fort bien ce que vous ressentez. Mais ce qui vous attire
en eux me dégoûte. J'ai vu comme vous des hommes
mastiquer avec mesure en gardant l'œil pertinent, en
feuilletant de la main gauche une revue économique.

Est-ce ma faute si je préfère assister au repas des pho-
ques ? L'homme ne peut rien faire de son visage sans que
ça tourne au jeu de physionomie. Quand il mâche en
gardant la bouche close, les coins de sa bouche montent et descendent, il a l'air de passer sans relâche
de la sérénité à la surprise pleurarde. Vous aimez ça,
je le sais, vous appelez ça la vigilance de l'Esprit.
Mais moi ça m'écœure : je ne sais pas pourquoi ;
je suis né ainsi.

« S'il n'y avait entre nous qu'une différence de goût,
je ne vous importunerais pas. Mais tout se passe comme
si vous aviez la grâce et que je ne l'aie point. Je suis
libre d'aimer ou non le homard à l'américaine, mais
si je n'aime pas les hommes, je suis un misérable et
je ne puis trouver de place au soleil. Ils ont accaparé
le sens de la vie. J'espère que vous comprenez ce que
je veux dire. Voilà trente-trois ans que je me heurte
à des portes closes au-dessus desquelles on a écrit :
" Nul n'entre ici s'il n'est humaniste. " Tout ce que
j'ai entrepris j'ai dû l'abandonner ; il fallait choisir :
ou bien c'était une tentative absurde et condamnée
ou bien il fallait qu'elle tournât tôt ou tard à leur profit. Les pensées que je ne leur destinais pas expressé-
ment, je n'arrivais pas à les détacher de moi, à les
formuler : elles demeuraient en moi comme de légers
mouvements organiques. Les outils mêmes dont je me
servais, je sentais qu'ils étaient à eux ; les mots par
exemple : j'aurais voulu des mots *à moi*. Mais ceux
dont je dispose ont traîné dans je ne sais combien
de consciences ; ils s'arrangent tout seuls dans ma
tête en vertu d'habitudes qu'ils ont prises chez les
autres et ça n'est pas sans répugnance que je les utilise
en vous écrivant. Mais c'est pour la dernière fois.
Je vous le dis : il faut aimer les hommes ou bien c'est

tout juste s'ils vous permettent de bricoler. Eh bien,
moi, je ne veux pas bricoler. Je vais prendre, tout à
l'heure, mon revolver, je descendrai dans la rue et je
verrai si l'on peut réussir quelque chose *contre eux*.
Adieu, monsieur, peut-être est-ce vous que je vais
rencontrer. Vous ne saurez jamais alors avec quel
plaisir je vous ferai sauter la cervelle. Sinon — et
c'est le cas le plus probable — lisez les journaux de
demain. Vous y verrez qu'un individu nommé Paul
Hilbert a descendu, dans une crise de fureur, cinq
passants sur le boulevard Edgar-Quinet. Vous savez
mieux que personne ce que vaut la prose des grands
quotidiens. Vous comprendrez donc que je ne suis
pas " furieux ". Je suis très calme au contraire et je
vous prie d'accepter, Monsieur, l'assurance de mes
sentiments distingués.

« Paul HILBERT. »

Je glissai les cent deux lettres dans cent deux enveloppes et j'écrivis sur les enveloppes les adresses de
cent deux écrivains français. Puis je mis le tout dans
un tiroir de ma table avec six carnets de timbres.

Pendant les quinze jours qui suivirent, je sortis
fort peu, je me laissais occuper lentement par mon
crime. Dans la glace, où j'allais parfois me regarder,
je constatais avec plaisir les changements de mon
visage. Les yeux s'étaient agrandis, ils mangeaient
toute la face. Ils étaient noirs et tendres sous les lorgnons, et je les faisais rouler comme des planètes.
De beaux yeux d'artiste et d'assassin. Mais je comptais
changer bien plus profondément encore après l'accom-
plissement du massacre. J'ai vu les photos de ces deux
belles filles, ces servantes qui tuèrent et saccagèrent
leurs maîtresses. J'ai vu leurs photos d'*avant* et d'*après*.

Avant, leurs visages se balançaient comme des fleurs sages au-dessus de cols de piqué. Elles respiraient l'hygiène et l'honnêteté appétissante. Un fer discret avait ondulé pareillement leurs cheveux. Et, plus rassurante encore que leurs cheveux frisés, que leurs cols et que leur air d'être en visite chez le photographe, il y avait leur ressemblance de sœurs, leur ressemblance si bien pensante, qui mettait tout de suite en avant les liens du sang et les racines naturelles du groupe familial. *Après*, leurs faces resplendissaient comme des incendies. Elles avaient le cou nu des futures décapitées. Des rides partout, d'horribles rides de peur et de haine, des plis, des trous dans la chair comme si une bête avec des griffes avait tourné en rond sur leurs visages. Et ces yeux, toujours ces grands yeux noirs et sans fond — comme les miens. Pourtant elles ne se ressemblaient plus. Chacune portait à sa manière le souvenir de leur crime commun. « S'il suffit, me disais-je, d'un forfait où le hasard a la plus grande part pour transformer ainsi ces têtes d'orphelinat, que ne puis-je espérer d'un crime entièrement conçu et organisé par moi ? » Il s'emparerait de moi, bouleverserait ma laideur trop humaine... un crime, ça coupe en deux la vie de celui qui le commet. Il devait y avoir des moments où l'on souhaiterait revenir en arrière, mais il est là, derrière vous, il vous barre le passage, ce minéral étincelant. Je ne demandais qu'une heure pour jouir du mien, pour sentir son poids écrasant. Cette heure, j'arrangerai tout pour l'avoir à moi : je décidai de faire l'exécution dans le haut de la rue d'Odessa. Je profiterais de l'affolement pour m'enfuir en les laissant ramasser leurs morts. Je courrais, je traverserais le boulevard Edgar-Quinet et tournerais rapidement dans la rue Delambre. Je

n'aurais besoin que de trente secondes pour atteindre
la porte de l'immeuble où j'habite. A ce moment-là,
mes poursuivants seraient encore sur le boulevard
Edgard-Quinet, ils perdraient ma trace et il leur
faudrait sûrement plus d'une heure pour la retrouver.
Je les attendrais chez moi et, quand je les entendrais
frapper à ma porte, je rechargerais mon revolver et je
me tirerais dans la bouche.

Je vivais plus largement ; je m'étais entendu avec
un traiteur de la rue Vavin qui me faisait porter, matin
et soir, de bons petits plats. Le commis sonnait, je
n'ouvrais pas, j'attendais quelques minutes puis j'en-
trebâillais ma porte et je voyais, dans un long panier
posé sur le sol, des assiettes pleines qui fumaient.

Le 27 octobre, à six heures du soir, il me restait
dix-sept francs cinquante. Je pris mon revolver et le
paquet de lettres, je descendis. J'eus soin de ne pas
fermer la porte, pour pouvoir rentrer plus vite quand
j'aurais fait mon coup. Je ne me sentais pas bien,
j'avais les mains froides et le sang à la tête, les yeux
me chatouillaient. Je regardai les magasins, l'hôtel
des Écoles, la papeterie où j'achète mes crayons et
je ne les reconnus pas. Je me disais : « Qu'est-ce que
c'est que cette rue ? » Le boulevard du Montparnasse
était plein de gens. Ils me bousculaient, me repous-
saient, me frappaient de leurs coudes ou de leurs
épaules. Je me laissais ballotter, la force me manquait
pour me glisser entre eux. Je me vis soudain au cœur
de cette foule, horriblement seul et petit. Comme ils
auraient pu me faire mal, s'ils l'avaient voulu ! J'avais
peur à cause de l'arme, dans ma poche. Il me semblait
qu'ils allaient deviner qu'elle était là. Ils me regar-
deraient de leurs yeux durs, ils diraient : « Hé mais...
mais... » avec une indignation joyeuse, en me harpon-

nant de leurs pattes d'hommes. Lynché! Ils me jette-
raient au-dessus de leurs têtes, et je retomberais dans
leurs bras comme une marionnette. Je jugeai plus
sage de remettre au lendemain l'exécution de mon
projet. J'allai dîner à *La Coupole* pour seize francs
quatre-vingts. Il me restait soixante-dix centimes que
je jetai dans le ruisseau.

Je suis resté trois jours dans ma chambre, sans
manger, sans dormir. J'avais fermé les persiennes
et je n'osais ni m'approcher de la fenêtre ni faire de
la lumière. Le lundi, quelqu'un carillonna à ma porte.
Je retins mon souffle et j'attendis. Au bout d'une
minute, on sonna encore. J'allai sur la pointe des
pieds coller mon œil au trou de la serrure. Je ne vis
qu'un morceau d'étoffe noire et un bouton. Le type
sonna encore puis redescendit : je ne sais pas qui c'était.
Dans la nuit, j'eus des visions fraîches, des palmiers,
de l'eau qui coulait, un ciel violet au-dessus d'une
coupole. Je n'avais pas soif parce que, d'heure en
heure, j'allais boire au robinet de l'évier. Mais j'avais
faim. J'ai revu aussi la putain brune. C'était dans un
château que j'avais fait construire sur les Causses
Noires à vingt lieues de tout village. Elle était nue
et seule avec moi. Je l'ai forcée à se mettre à genoux
sous la menace de mon revolver, à courir à quatre
pattes ; puis je l'ai attachée à un pilier et, après lui
avoir longuement expliqué ce que j'allais faire, je
l'ai criblée de balles. Ces images m'avaient tellement
troublé que j'ai dû me contenter. Après, je suis resté
immobile dans le noir, la tête absolument vide. Les
meubles se sont mis à craquer. Il était cinq heures du
matin. J'aurais donné n'importe quoi pour quitter
ma chambre, mais je ne pouvais pas descendre à cause
des gens qui marchaient dans les rues.

Le jour est venu. Je ne sentais plus ma faim, mais
je me suis mis à suer : j'ai trempé ma chemise. Dehors,
il y avait du soleil. Alors j'ai pensé : « Dans une chambre close, dans le noir Il est tapi. Depuis trois jours,
Il n'a ni mangé ni dormi. On a sonné, et Il n'a pas
ouvert. Tout à l'heure, Il va descendre dans la rue
et Il tuera. » Je me faisais peur. A six heures du soir,
la faim m'a repris. J'étais fou de colère. Je me suis
cogné un moment dans les meubles, puis j'ai allumé
l'électricité dans les chambres, à la cuisine, aux cabinets. Je me suis mis à chanter à tue-tête, j'ai lavé
mes mains et je suis sorti. Il m'a fallu deux bonnes
minutes pour mettre toutes mes lettres à la boîte.
Je les enfonçais par paquets de dix. J'ai dû friper
quelques enveloppes. Puis, j'ai suivi le boulevard du
Montparnasse jusqu'à la rue d'Odessa. Je me suis
arrêté devant la glace d'une chemiserie et, quand
j'y ai vu mon visage, j'ai pensé : « C'est pour ce
soir. »

Je me postai dans le haut de la rue d'Odessa, non
loin du bec de gaz, et j'attendis. Deux femmes passèrent. Elles se donnaient le bras, la blonde disant :

— Ils avaient mis des tapis à toutes les fenêtres et
c'étaient les nobles du pays qui faisaient la figuration.

— Ils sont panés ? demanda l'autre.

— Il n'y a pas besoin d'être pané pour accepter
un travail qui rapporte cinq louis par jour.

— Cinq louis ! dit la brune, éblouie. — Elle ajouta,
en passant près de moi : Et puis je me figure que ça
devait les amuser de mettre les costumes de leurs
ancêtres.

Elles s'éloignèrent. J'avais froid, mais je suais
abondamment. Au bout d'un moment, je vis arriver
trois hommes ; je les laissai passer : il m'en fallait six.

Celui de gauche me regarda et fit claquer sa langue.
Je détournai les yeux.

A sept heures cinq, deux groupes qui se suivaient
de près débouchèrent du boulevard Edgar-Quinet.
Il y avait un homme et une femme avec deux enfants.
Derrière eux venaient trois vieilles femmes. Je fis un
pas en avant. La femme avait l'air en colère et secouait le petit garçon par le bras. L'homme dit d'une
voix traînante :

— Il est emmerdant, aussi, ce morpion.

Le cœur me battait si fort que j'en avais mal dans
les bras. Je m'avançai et me tins devant eux, immobile.
Mes doigts, dans ma poche, étaient tout mous autour
de la gâchette.

— Pardon, dit l'homme en me bousculant.

Je me rappelai que j'avais fermé la porte de mon
appartement et cela me contraria : il me faudrait
perdre un temps précieux à l'ouvrir. Les gens s'éloignèrent. Je fis volte-face et je les suivis machinalement.
Mais je n'avais plus envie de tirer sur eux. Ils se
perdirent dans la foule du boulevard. Moi, je m'appuyai
contre le mur. J'entendis sonner huit heures et neuf
heures. Je me répétais : « Pourquoi faut-il tuer tous
ces gens qui sont déjà *morts* », et j'avais envie de rire.
Un chien vint flairer mes pieds.

Quand le gros homme me dépassa, je sursautai
et je lui emboîtai le pas. Je voyais le pli de sa nuque
rouge entre son melon et le col de son pardessus. Il
se dandinait un peu et respirait fort, il avait l'air
costaud. Je sortis mon revolver : il était brillant et
froid, il me dégoûtait, je ne me rappelai pas très bien
ce que je devais en faire. Tantôt je le regardais et
tantôt je regardais la nuque du type. Le pli de la nuque
me souriait, comme une bouche souriante et amère. Je

me demandais si je n'allais pas jeter mon revolver dans un égout.

Tout d'un coup le type se retourna et me regarda d'un air irrité. Je fis un pas en arrière.

— C'est pour vous... demander...

Il n'avait pas l'air d'écouter, il regardait mes mains. J'achevai péniblement.

— Pouvez-vous me dire où est la rue de la Gaîté ?

Son visage était gros, et ses lèvres tremblaient. Il ne dit rien. il allongea la main. Je reculai encore et je lui dis :

— Je voudrais...

A ce moment je *sus* que j'allais me mettre à hurler. Je ne voulais pas : je lui lâchai trois balles dans le ventre. Il tomba d'un air idiot, sur les genoux, et sa tête roula sur son épaule gauche.

— Salaud, lui dis-je, sacré salaud !

Je m'enfuis. Je l'entendis tousser. J'entendis aussi des cris et une galopade derrière moi. Quelqu'un demanda : « Qu'est-ce que c'est, ils se battent ? » puis tout de suite après on cria : « A l'assassin ! A l'assassin ! » Je ne pensais pas que ces cris me concernaient. Mais ils me semblaient sinistres, comme la sirène des pompiers quand j'étais enfant. Sinistres et légèrement ridicules. Je courais de toute la force de mes jambes.

Seulement j'avais commis une erreur impardonnable : au lieu de remonter la rue d'Odessa vers le boulevard Edgar-Quinet, *je la descendais vers le boulevard du Montparnasse.* Quand je m'en aperçus, il était trop tard : j'étais déjà au beau milieu de la foule, des visages étonnés se tournaient vers moi (je me rappelle celui d'une femme très fardée qui portait un chapeau vert avec une aigrette), et j'entendais les imbéciles de la rue d'Odessa crier à l'assassin derrière mon dos. Une main se posa sur mon épaule. Alors je perdis la tête : je ne voulais pas mourir étouffé par cette foule. Je tirai encore deux coups de revolver. Les gens se mirent à piailler et s'écartèrent. J'entrai en courant dans un café. Les consommateurs se levèrent sur mon passage mais ils n'essayèrent pas de m'arrêter, je traversai le café dans toute sa longueur et je m'enfermai dans les lavabos. Il restait encore une balle dans mon revolver.

Un moment s'écoula. J'étais essoufflé et je haletais. Tout était d'un silence extraordinaire, comme si les gens faisaient exprès de se taire. J'élevai mon arme jusqu'à mes yeux et je vis son petit trou noir et rond : la balle sortirait par là ; la poudre me brûlerait le visage. Je laissai retomber mon bras et j'attendis. Au bout d'un instant, ils s'amenèrent à pas de loup ; ils devaient être toute une troupe, à en juger par le frôlement des pieds sur le plancher. Ils chuchotèrent un peu puis se turent. Moi, je soufflais toujours et je pensais qu'ils m'entendaient souffler, de l'autre côté de la cloison. Quelqu'un s'avança doucement et secoua la poignée de la porte. Il devait s'être plaqué de côté contre le mur, pour éviter mes balles. J'eus tout de même envie de tirer — mais la dernière balle était pour moi.

« Qu'est-ce qu'ils attendent ? me demandai-je. S'ils se jetaient sur la porte et s'ils la défonçaient *tout de suite*, je n'aurais pas le temps de me tuer, et ils me prendraient vivant. » Mais ils ne se pressaient pas, ils me laissaient tout le loisir de mourir. Les salauds, ils avaient peur.

Au bout d'un instant, une voix s'éleva.

— Allons, ouvrez, on ne vous fera pas de mal.

Il y eut un silence, et la même voix reprit :

— Vous savez bien que vous ne pouvez pas vous échapper.

Je ne répondis pas, je haletais toujours. Pour m'encourager à tirer, je me disais : « S'ils me prennent, ils vont me battre, me casser des dents, ils me crèveront peut-être un œil. » J'aurais voulu savoir si le gros type était mort. Peut-être que je l'avais seulement blessé... et les deux autres balles, peut-être qu'elles n'avaient atteint personne... Ils préparaient quelque chose, ils étaient en train de tirer un objet lourd sur le plancher ? Je me hâtai de mettre le canon de mon arme dans ma bouche et je le mordis très fort. Mais je ne pouvais pas tirer, pas même poser le doigt sur la gâchette. Tout était retombé dans le silence.

Alors j'ai jeté le revolver et je leur ai ouvert la porte.

Intimité

Lulu couchait nue parce qu'elle aimait se caresser aux draps et que le blanchissage coûte cher. Henri avait protesté au début : on ne se met pas toute nue dans un lit, ça ne se fait pas, c'est sale. Il avait tout de même fini par suivre l'exemple de sa femme mais chez lui c'était du laisser-aller ; il était raide comme un piquet quand il y avait du monde, par genre, (il admirait les Suisses et tout particulièrement les Genevois, il leur trouvait grand air parce qu'ils étaient en bois) mais il se négligeait dans les petites choses, par exemple il n'était pas très propre, il ne changeait pas assez souvent de caleçon ; quand Lulu les mettait au sale, elle ne pouvait pas s'empêcher de remarquer qu'ils avaient le fond jaune à force de frotter contre l'entrejambe : Personnellement, Lulu ne détestait pas la saleté : ça fait plus intime, ça donne des ombres tendres ; au creux des coudes par exemple ; elle n'aimait guère ces Anglais, ces corps impersonnels qui ne sentent rien. Mais elle avait horreur des négligences de son mari, parce que c'étaient des façons de se dorloter. Le matin, à son lever, il était toujours très tendre pour lui-même, la tête pleine de rêves, et le grand jour, l'eau froide, le crin des brosses lui faisaient l'effet d'injustices brutales.

Lulu était couchée sur le dos, elle avait introduit le gros orteil de son pied gauche dans une fente du drap ; ce n'était pas une fente, c'était un décousu. Ça l'embêtait ; il faut que je raccommode ça demain, mais elle tirait tout de même un peu sur les fils pour les sentir casser. Henri ne dormait pas encore, mais il ne gênait plus. Il l'avait souvent dit à Lulu : dès qu'il fermait les yeux il se sentait ligoté par des liens ténus et résistants, il ne pouvait même plus lever le petit doigt. Une grosse mouche embobinée dans une toile d'araignée. Lulu aimait sentir contre elle ce grand corps captif. S'il pouvait rester comme ça paralysé, c'est moi qui le soignerais, qui le nettoierais comme un enfant et quelquefois je le retournerais sur le ventre et je lui donnerais la fessée, et d'autres fois quand sa mère viendrait le voir, je le découvrirais sous un prétexte, je rabattrais les draps et sa mère le verrai tout nu. Je pense qu'elle en tomberait raide, il doit y avoir quinze ans qu'elle ne l'a pas vu comme ça. Lulu passa une main légère sur la hanche de son mari et le pinça un peu à l'aine. Henri grogna mais ne fit pas un mouvement. Réduit à l'impuissance. Lulu sourit : le mot « impuïssance » la faisait toujours sourire. Quand elle aimait encore Henri et qu'il reposait, ainsi paralysé, à côté d'elle, elle se plaisait à imaginer qu'il avait été patiemment saucissonné par de tout petits hommes dans le genre de ceux qu'elle avait vus sur une image quand elle était petite et qu'elle lisait l'histoire de Gulliver. Elle appelait souvent Henri « Gulliver », et Henri aimait bien ça parce que c'était un nom anglais et que Lulu avait l'air instruite, mais il aurait préféré que Lulu le prononçât avec l'accent. Ce qu'ils ont pu m'embêter : s'il voulait quelqu'un d'instruit il n'avait qu'à épouser

Jeanne Beder, elle a des seins en cor de chasse mais
elle sait cinq langues. Quand on allait encore à Sceaux,
le dimanche, je m'embêtais tellement dans sa famille
que je prenais un livre, n'importe quoi ; il y avait
toujours quelqu'un qui venait regarder ce que je
lisais et sa petite sœur me demandait : « Vous comprenez, Lucie ?... » Ce qu'il y a, c'est qu'il ne me trouve
pas distinguée. Les Suisses, oui, ça c'est des gens distingués parce que sa sœur aînée a épousé un Suisse
qui lui a fait cinq enfants et puis ils lui en imposent
avec leurs montagnes. Moi je ne peux pas avoir d'enfant, c'est constitutionnel, mais je n'ai jamais pensé
que c'était distingué ce qu'il fait, quand il sort avec
moi, d'aller tout le temps dans les urinoirs et je suis
obligée de regarder les devantures en l'attendant,
j'ai l'air de quoi ? et il ressort en tirant sur son pantalon et en arquant les jambes comme un vieux.

Lulu retira son orteil de la fente du drap et agita
un peu les pieds, pour le plaisir de se sentir alerte
auprès de cette chair molle et captive. Elle entendit
un gargouillis : un ventre qui chante, ça m'agace, je
ne peux jamais savoir si c'est son ventre ou le mien.
Elle ferma les yeux : ce sont des liquides qui glou-
gloutent dans des paquets de tuyaux mous, il y
en a comme ça chez tout le monde, chez Rirette,
chez moi (je n'aime pas y penser, ça me donne mal
au ventre). Il m'aime, il n'aime pas mes boyaux, si
on lui montrait mon appendice dans un bocal, il ne
le reconnaîtrait pas, il est tout le temps à me tripoter
mais si on lui mettait le bocal dans les mains il ne
sentirait rien, au-dedans, il ne penserait pas « c'est
à elle », on devrait pouvoir aimer tout d'une personne,
l'œsophage, et le foie, et les intestins. Peut-être qu'on
ne les aime pas par manque d'habitude, si on les voyait

comme ils voient nos mains et nos bras peut-être
qu'on les aimerait ; alors les étoiles de mer doivent
s'aimer mieux que nous, elles s'étendent sur la plage
quand il fait soleil et elles sortent leur estomac pour
lui faire prendre l'air, et tout le monde peut le voir ;
je me demande par où nous ferions sortir le nôtre, par
le nombril ? Elle avait fermé les yeux, et des disques
bleus se mirent à tourner, comme à la foire, hier, je
tirais sur les disques avec des flèches de caoutchouc,
et il y avait des lettres qui s'allumaient, une à chaque
coup, et elles formaient un nom de ville, il m'a empêché
d'avoir Dijon au complet avec sa manie de se coller
contre moi par-derrière, je déteste qu'on me touche
par-derrière, je voudrais n'avoir pas de dos, je n'aime
pas que les gens me fassent des trucs quand je les
vois pas, ils peuvent s'en payer et puis on ne voit pas
leurs mains, on les sent qui descendent ou qui montent,
on ne peut pas prévoir où elles vont, ils vous regardent
de tous leurs yeux, et vous ne les voyez pas, il adore
ça ; jamais Henri n'y aurait songé, mais lui il ne pense
qu'à se mettre derrière moi, et je suis sûre qu'il fait
exprès de me toucher le derrière parce qu'il sait que
je meurs de honte d'en avoir un, quand j'ai honte ça
l'excite mais je ne veux pas penser à lui (elle avait
peur), je veux penser à Rirette. Elle pensait à Rirette
tous les soirs à la même heure, juste au moment où
Henri commençait à bredouiller et à gémir. Mais il
y eut de la résistance, l'autre voulait se montrer, elle
vit même un instant des cheveux noirs et crépus et elle
crut que ça y était, et elle frissonna parce qu'on ne
sait jamais ce qui va venir, si c'est le visage ça va,
ça passe encore, mais il y a des nuits qu'elle avait
passées sans fermer l'œil à cause des sales souvenirs
qui étaient remontés à la surface, c'est affreux quand

on connaît tout d'un homme et surtout *ça*. Henri,
ça n'est pas la même chose, je peux l'imaginer de la
tête aux pieds, ça m'attendrit, parce qu'il est mou,
avec une chair toute grise sauf le ventre qui est rose,
il dit qu'un homme bien fait, quand il est assis, son
ventre fait trois plis mais le sien en a six, seulement
il les compte de deux en deux et il ne veut pas voir
les autres. Elle éprouva de l'agacement en pensant à
Rirette : « Lulu, vous ne savez pas ce que c'est qu'un
beau corps d'homme. » C'est ridicule, naturellement
si, je sais ce que c'est, elle veut dire un corps dur comme
la pierre, avec des muscles, j'aime pas ça, Patterson
avait un corps comme ça, et moi je me sentais molle
comme une chenille quand il me serrait contre lui ;
Henri, je l'ai épousé parce qu'il était mou, parce qu'il
ressemblait à un curé. Les curés c'est doux comme les
femmes avec leurs soutanes et il paraît qu'ils ont des
bas. Quand j'avais quinze ans, j'aurais voulu relever
doucement leur robe et voir leurs genoux d'hommes
et leurs caleçons, ça me faisait drôle qu'ils aient quelque
chose entre les jambes ; dans une main j'aurais pris
la robe et l'autre main je l'aurais glissée le long de
leurs jambes, en remontant jusque-là où je pense,
c'est pas que j'aime tellement les femmes, mais un
machin d'homme, quand c'est sous une robe, c'est
douillet, c'est comme une grosse fleur. Ce qu'il y a
c'est qu'en réalité on ne peut jamais prendre ça dans
ses mains, si seulement ça pouvait rester tranquille,
mais ça se met à bouger comme une bête, ça durcit,
ça me fait peur, quand c'est dur et tout droit en l'air
c'est brutal ; ce que c'est sale, l'amour. Moi j'aimais
Henri parce que sa petite affaire ne durcissait jamais,
ne levait jamais la tête, je riais, je l'embrassais quelquefois, je n'en avais pas plus peur que de celle d'un

enfant ; le soir, je prenais sa douce petite chose entre
mes doigts, il rougissait et il tournait la tête de côté
en soupirant, mais ça ne bougeait pas, ça restait bien
sage dans ma main, je ne serrais pas, nous restions
longtemps ainsi et il s'endormait. Alors je m'étendais
sur le dos et je pensais à des curés, à des choses pures,
à des femmes, et je me caressais le ventre d'abord,
mon beau ventre plat, je descendais les mains, je
descendais et c'était le plaisir ; le plaisir il n'y a que
moi qui sache me le donner.

Les cheveux crépus, les cheveux de nègre. Et l'angoisse dans la gorge comme une boule. Mais elle serra
fortement les paupières et, finalement, ce fut l'oreille
de Rirette qui apparut, une petite oreille cramoisie
et dorée qui avait l'air en sucre candi. Lulu, à la voir,
n'eut pas autant de plaisir que d'ordinaire parce
qu'elle entendait la voix de Rirette, en même temps.
C'était une voix aiguë et précise que Lulu n'aimait
pas. « Vous *devez* partir avec Pierre, ma petite Lulu ;
c'est la seule chose intelligente à faire. » J'ai beaucoup
d'affection pour Rirette, mais elle m'agace un tout
petit peu quand elle fait l'importante et qu'elle s'en-
chante de ce qu'elle dit. La veille, à la Coupole, Rirette s'était penchée avec des airs raisonnables et un
peu hagards : « Vous ne *pouvez* pas rester avec Henri,
puisque vous ne l'aimez plus, ce serait un crime. »
Elle ne perd pas une occasion de dire du mal de lui,
je trouve que ce n'est pas très gentil, il a toujours été
parfait avec elle, je ne l'aime plus, c'est possible,
mais ça n'est pas à Rirette de me le dire ; avec elle
tout paraît simple et facile ; on aime ou on n'aime
plus ; mais moi je ne suis pas simple. D'abord, j'ai mes
habitudes ici et puis je l'aime bien, c'est mon mari.
J'aurais voulu la battre, j'ai toujours envie de lui

faire mal parce qu'elle est grasse. « Ce serait un crime. »
Elle a levé le bras, j'ai vu son aisselle, je l'aime toujours mieux quand elle a les bras nus. L'aisselle. Elle
s'entrouvrit, on aurait dit une bouche, et Lulu vit
une chair mauve, un peu ridée, sous des poils frisés
qui ressemblaient à des cheveux ; Pierre l'appelle
« Minerve potelée », elle n'aime pas ça du tout. Lulu
sourit parce qu'elle pensait à son petit frère Robert
qui lui avait dit un jour qu'elle était en combinaison : « Pourquoi que tu as des cheveux sous les bras ? »
et elle avait répondu : « C'est une maladie. » Elle
aimait bien s'habiller devant son petit frère parce
qu'il avait toujours des réflexions drôles, on se demande
où il va chercher ça. Et il touchait à toutes les affaires
de Lulu, il pliait les robes soigneusement, il a les
mains si prestes, plus tard ce sera un grand couturier.
C'est un métier charmant, et moi, je dessinerai des
tissus pour lui. C'est curieux qu'un enfant songe à
devenir couturier ; si j'avais été garçon, il me semble
que j'aurais voulu être explorateur ou acteur, mais pas
couturier ; mais il a toujours été rêveur, il ne parle
pas assez, il suit son idée ; moi, je voulais être bonne
sœur pour aller quêter dans les beaux immeubles.
Je sens mes yeux tout doux, tout doux comme de la
chair, je vais m'endormir. Mon beau visage pâle sous
la cornette, j'aurais eu l'air distingué. J'aurais vu des
centaines d'antichambres sombres. Mais la bonne
aurait allumé presque tout de suite ; alors j'aurais
aperçu des tableaux de famille, des bronzes d'art sur
des consoles. Et des portemanteaux. La dame vient
avec un petit carnet et un billet de cinquante francs :
« Voici, ma sœur. — Merci, madame, Dieu vous bénisse.
A la prochaine fois. » Mais je n'aurais pas été une vraie
sœur. Dans l'autobus, quelquefois, j'aurais fait de

l'œil à un type, il aurait été ahuri d'abord, ensuite il m'aurait suivie en me racontant des trucs et je l'aurais fait coffrer par un agent. L'argent de la quête je l'aurais gardé pour moi. Qu'est-ce que je me serais acheté ? DE L'ANTIDOTE. C'est idiot. Mes yeux s'amollissent, ça me plaît, on dirait qu'on les a trempés dans l'eau et tout mon corps est confortable. La belle tiare verte, avec les émeraudes et les lapis-lazulis. La tiare tourna, tourna, et c'était une horrible tête de bœuf, mais Lulu n'avait pas peur, elle dit : « Secourge. Les oiseaux du Cantal. Fixe. » Un long fleuve rouge se traînait à travers d'arides campagnes. Lulu pensait à son hachoir mécanique puis à de la gomina.

« Ce serait un crime ! » Elle sursauta et se dressa dans sa nuit, les yeux durs. Ils me torturent, ils ne s'en aperçoivent donc pas ? Rirette, je sais bien qu'elle le fait dans une bonne intention, mais elle qui est si raisonnable pour les autres, elle devrait comprendre que j'ai besoin de réfléchir. Il m'a dit : « Tu viendras ! » en faisant des yeux de braise. « Tu viendras dans ma maison à moi, je te veux toute à moi. » J'ai horreur de ses yeux quand il veut faire l'hypnotiseur, il me pétrissait le bras ; quand je lui vois ces yeux-là, je pense toujours aux poils qu'il a sur la poitrine. Tu viendras, je te veux toute à moi ; comment peut-on dire des choses pareilles ? Je ne suis pas un chien.

Quand je me suis assise, je lui ai souri, j'avais changé ma poudre pour lui et j'avais fait mes yeux parce qu'il aime ça, mais il n'a rien vu, il ne regarde pas mon visage, il regardait mes seins, et j'aurais voulu qu'ils sèchent sur ma poitrine, pour l'embêter, pourtant je n'en ai pas beaucoup, ils sont tout petits. Tu viendras dans ma villa de Nice. Il a dit qu'elle était blanche avec un escalier de marbre et qu'elle

donne sur la mer, et que nous vivrons tout nus toute
la journée, ça doit faire drôle de monter un escalier
quand on est nue ; je l'obligerai à monter devant moi,
pour qu'il ne me regarde pas ; sans ça, je ne pourrais
même pas lever le pied, je resterais immobile en sou-
haitant de tout mon cœur qu'il devienne aveugle ;
d'ailleurs ça ne me changera guère ; quand il est là,
je crois toujours que je suis nue. Il m'a pris par les
bras, il avait l'air méchant, il m'a dit : « Tu m'as dans
la peau ! » et moi j'avais peur, j'ai dit : « Oui » ; je
veux faire ton bonheur, nous irons nous promener en
auto, en bateau, nous irons en Italie et je te donnerai
tout ce que tu voudras. Mais sa villa n'est presque
pas meublée, et nous coucherons par terre sur un mate-
las. Il veut que je dorme dans ses bras, et je sentirai
son odeur ; j'aimerais bien sa poitrine parce qu'elle
est brune et large, mais il y a un tas de poils dessus,
je voudrais que les hommes soient sans poils, les siens
sont noirs et doux comme de la mousse, des fois je
les caresse et des fois j'en ai horreur, je me recule le
plus loin possible, mais il me plaque contre lui. Il
voudra que je dorme dans ses bras, il me serrera dans
ses bras, et je sentirai son odeur ; et quand il fera noir
nous entendrons le bruit de la mer, et il est capable
de me réveiller au milieu de la nuit s'il a envie de faire
cela : je ne pourrai jamais m'endormir tranquille sauf
quand j'aurai mes affaires, parce que là, tout de même,
il me fichera la paix, et encore il paraît qu'il y a des
hommes qui font cela avec les femmes indisposées
et après ils ont du sang sur le ventre, du sang qui n'est
pas à eux, et il doit y en avoir sur les draps, partout,
c'est dégoûtant, pourquoi faut-il que nous ayons des
corps ?

Lulu ouvrit les yeux, les rideaux étaient colorés en

rouge par une lumière qui venait de la rue, il y avait
un reflet rouge dans la glace ; Lulu aimait cette lumière
rouge, et il y avait un fauteuil qui se découpait en
ombre chinoise contre la fenêtre. Sur les bras du
fauteuil, Henri avait déposé son pantalon, ses bretelles
pendaient dans le vide. Il faut que je lui achète des
tirants de bretelles. Oh! je ne veux pas, je ne veux pas
partir. Il m'embrassera toute la journée, et je serai *à
lui*, je ferai son plaisir, il me regardera ; il pensera
« c'est mon plaisir, je l'ai touchée là et là, et je peux
recommencer quand ça me plaira ». A Port-Royal.
Lulu donna des coups de pieds dans les draps, elle
détestait Pierre quand elle se rappelait ce qui s'était
passé à Port-Royal. Elle était derrière la haie, elle
croyait qu'il était resté dans l'auto, qu'il consultait
la carte, et tout d'un coup elle l'avait vu, il était venu
à pas de loup derrière elle, il la regardait. Lulu donna
un coup de pied à Henri ; il va se réveiller, celui-là.
Mais Henri fit « Homphph » et ne se réveilla pas. Je
voudrais connaître un beau jeune homme, pur comme
une fille, et nous ne nous toucherions pas, nous nous
promènerions au bord de la mer et nous nous tiendrions
par la main et la nuit nous coucherions dans deux lits
jumeaux, nous resterions comme frère et sœur et nous
parlerions jusqu'au matin. Ou alors j'aimerais bien
vivre avec Rirette, c'est si charmant les femmes entre
elles ; elle a des épaules grasses et polies ; j'étais bien
malheureuse quand elle aimait Fresnel, mais ça me
troublait de penser qu'il la caressait, qu'il passait
lentement les mains sur ses épaules et sur ses flancs,
et qu'elle soupirait. Je me demande comment peut
être son visage quand elle est étendue comme ça, toute
nue, sous un homme, et qu'elle sent des mains qui se
promènent sur sa chair. Je ne la toucherais pas pour

tout l'or du monde, je ne saurais que faire d'elle, même si elle voulait bien, si elle me disait : « Je veux bien », je ne saurais pas, mais si j'étais invisible, je voudrais être là pendant qu'on lui fait ça et regarder son visage (ça m'étonnerait qu'elle ait encore l'air d'une Minerve), et caresser d'une main légère ses genoux écartés, ses genoux roses, et l'entendre gémir. Lulu, la gorge sèche, eut un rire bref : on a quelquefois de ces idées. Une fois, elle avait inventé que Pierre voulait violer Rirette. Et je l'aidais, je tenais Rirette dans mes bras. Hier. Elle avait le feu aux joues, nous étions assises, sur son divan, l'une contre l'autre, elle avait les jambes serrées, mais nous n'avons rien dit, nous ne dirons jamais rien. Henri se mit à ronfler, et Lulu siffla. Je suis là, je ne peux pas dormir, je me fais du mauvais sang, et lui il ronfle, l'imbécile. S'il me prenait dans ses bras, s'il me suppliait, s'il me disait : « Tu es tout pour moi, Lulu, je t'aime, ne pars pas! » je lui ferais ce sacrifice, je resterais, oui, je resterais avec lui, toute ma vie, pour lui faire plaisir.

II

Rirette s'assit à la terrasse du Dôme et commanda un porto. Elle se sentait lasse, elle était irritée contre Lulu :

« ... et leur porto a le goût de bouchon. Lulu s'en moque parce qu'elle prend des cafés, mais on ne peut tout de même pas prendre un café à l'heure de l'apéritif ; ici ils prennent des cafés toute la journée ou bien des cafés-crème parce qu'ils n'ont pas le sou, ce que ça doit les énerver, moi je ne pourrais pas, je flanquerais toute la boutique au nez des clients, ce sont des gens qui n'ont pas besoin de se tenir. Je ne comprends pas pourquoi elle me donne toujours ses rendez-vous à Montparnasse, finalement ça serait aussi près de chez elle si elle me retrouvait au Café de la Paix ou au Pam-Pam, et moi ça m'éloignerait moins de mon travail ; je ne peux pas dire comme ça m'attriste de voir toujours ces têtes-là, dès que j'ai une minute il faut que je vienne ici, sur la terrasse encore ça peut aller, mais dedans, ça sent le linge sale, je n'aime pas les ratés. Et même sur la terrasse je me sens déplacée parce que je suis un peu propre sur moi, ça doit étonner les gens qui passent de me voir au milieu des gens d'ici qui ne se rasent même pas et les

femmes qui ont l'air de je ne sais quoi. On doit se
dire : " Qu'est-ce qu'elle fait là ? " Je sais bien qu'il
vient quelquefois des Américaines assez riches quand
c'est l'été, mais il paraît qu'elles s'arrêtent maintenant
en Angleterre avec le gouvernement que nous avons,
c'est pour ça que le commerce de luxe ne marche pas,
j'ai vendu moitié moins que l'an dernier à pareille
époque, et je me demande comment font les autres,
puisque c'est moi la meilleure vendeuse, Mme Dubech
me l'a dit, je plains la petite Yonnel, elle ne sait pas
vendre, elle n'a pas dû se faire un sou de plus que son
fixe, ce mois-ci ; et quand on est restée sur ses pieds
toute la journée on voudrait se détendre un peu dans
un endroit agréable, avec un peu de luxe, un peu d'art
et un personnel bien stylé, on voudrait fermer les
yeux et se laisser aller, et puis il faudrait de la musique
en sourdine, ça ne coûterait pas tellement cher d'aller
de temps en temps au dancing des Ambassadeurs ;
mais les garçons d'ici sont tellement insolents, on
voit qu'ils ont affaire à du petit monde, sauf le petit
brun qui me sert, il est gentil ; je crois que ça plaît
à Lulu de se sentir entourée par tous ces types-là,
ça lui ferait peur d'aller dans un endroit un peu chic,
au fond elle n'est pas sûre d'elle, ça l'intimide dès
qu'un homme a de belles manières, elle n'aimait pas
Louis ; eh bien, je pense qu'ici elle peut se sentir à
son aise, il y en a qui n'ont même pas de faux cols,
avec leur air de pauvres et leurs pipes, et ces yeux
qu'ils vous jettent, ils n'essaient même pas de dissi-
muler, on voit qu'ils n'ont pas d'argent pour se payer
des femmes, ça n'est pourtant pas ce qui manque dans
le quartier, c'en est même dégoûtant ; on dirait qu'ils
vont vous manger, et ils ne seraient même pas capables
de vous dire un peu gentiment qu'ils ont envie de

vous, de tourner la chose de manière à vous faire plaisir. »

Le garçon s'approche :

— Sec, votre porto, mademoiselle ?

— Oui, merci.

Il dit encore, d'un air aimable :

— Quel beau temps!

— Ça n'est pas trop tôt, dit Rirette.

— C'est vrai, on aurait cru que l'hiver n'aurait jamais fini.

Il s'en alla, et Rirette le suivit des yeux. « J'aime bien ce garçon, pensa-t-elle, il sait se tenir à sa place, il n'est pas familier, mais il a toujours un mot pour moi, une petite attention particulière. »

Un jeune homme maigre et voûté la regardait avec insistance ; Rirette haussa les épaules et lui tourna le dos : « Quand on veut faire de l'œil aux femmes, on pourrait au moins avoir du linge propre. Je lui répondrai ça, s'il m'adresse la parole. Je me demande pourquoi elle ne part pas. Elle ne veut pas faire de peine à Henri, je trouve ça trop joli : une femme n'a tout de même pas le droit de gâcher sa vie pour un impuissant. » Rirette détestait les impuissants, c'était physique. « Elle doit partir, décida-t-elle, c'est son bonheur qui est en jeu, je lui dirai qu'on ne doit pas jouer avec son bonheur. Lulu, vous n'avez pas le droit de jouer avec votre bonheur. Je ne lui dirai rien du tout, c'est fini, je lui ai dit cent fois, on ne peut pas faire le bonheur des gens malgré eux. » Rirette sentit un grand vide dans sa tête, parce qu'elle était si fatiguée, elle regardait le porto, tout visqueux dans son verre, comme un caramel liquide, et une voix répétait en elle : « Le bonheur, le bonheur », et c'était un beau mot attendrissant et grave, et elle pensait que, si on lui avait demandé son avis au concours de *Paris-Soir*, elle aurait dit que c'était le plus beau mot de la langue française. « Est-ce que quelqu'un y a pensé ? Ils ont dit : énergie, courage, mais c'est parce que ce sont des hommes, il aurait fallu que ce soit une femme, ce sont les femmes qui peuvent trouver ça, il aurait fallu deux prix, un pour les hommes, et le plus beau nom ç'aurait été Honneur ; un pour les femmes, et j'aurais gagné, j'aurais dit Bonheur ; Honneur et Bonheur ça rime, c'est amusant. Je lui dirai : " Lulu, vous n'avez pas le droit de manquer votre bonheur. Votre Bonheur, Lulu, votre Bonheur. " Personnellement, je trouve Pierre très bien, d'abord c'est un homme pour de bon, et puis il est intelligent, ce qui ne gâte rien, il a de l'argent, il sera aux petits soins pour elle. Il est de ces hommes qui savent aplanir les petites difficultés de la vie, c'est agréable pour une femme ; j'aime bien qu'on sache commander, c'est une nuance, mais il sait parler, aux garçons, aux maîtres d'hôtel ; on lui obéit, moi j'appelle ça avoir de la carrure. C'est peut-être ce qui manque le plus à Henri. Et puis il y a des considérations de santé, avec le père qu'elle a eu, elle ferait bien de faire attention, c'est charmant d'être mince et diaphane et de n'avoir jamais ni faim, ni sommeil, de dormir quatre heures par nuit et de courir Paris toute la journée pour placer des projets de tissus, mais c'est de l'inconscience, elle aurait besoin de suivre un régime rationnel, manger peu à la fois, je veux bien, mais souvent et à heures fixes. Elle sera bien avancée quand on l'enverra pour dix ans dans un sanatorium. »

Elle fixa d'un air perplexe l'horloge du carrefour Montparnasse dont les aiguilles marquaient onze

heures vingt. « Je ne comprends pas Lulu, c'est un
drôle de tempérament, je n'ai jamais pu savoir si elle
aimait les hommes, ou s'ils la dégoûtaient : pourtant
avec Pierre elle devrait être contente, ça la change
tout de même un peu de son type de l'an dernier,
de son Rabut, Rebut comme je l'appelais. » Ce souvenir l'amusa, mais elle retint son sourire parce que
le jeune homme maigre la regardait toujours, elle
avait surpris son regard en tournant la tête. Rabut
avait la figure criblée de points noirs, et Lulu s'amusait à les lui ôter en pressant sur la peau avec les
ongles : « C'est écœurant, mais ça n'est pas sa faute,
Lulu ne sait pas ce que c'est qu'un bel homme, moi
j'adore les hommes coquets, d'abord c'est si joli de
belles affaires d'hommes, leurs chemises, leurs souliers,
les belles cravates chatoyantes, c'est rude si l'on veut
mais c'est si doux, c'est fort, une force douce, c'est
comme leur odeur de tabac anglais et d'eau de Cologne et leur peau quand il sont bien rasés, ça n'est pas...
ça n'est pas de la peau de femme, on dirait du cuir de
Cordoue, leurs bras forts se ferment sur vous, on met la
tête sur leur poitrine, on sent leur douce odeur forte
d'hommes soignés, ils vous murmurent des mots doux ;
ils ont de belles affaires, de beaux souliers rudes en
cuir de vache, ils vous murmurent " Ma chérie, ma
douce chérie ", et on se sent défaillir », Rirette pensa
à Louis qui l'avait quittée l'an dernier, et son cœur
se serra : « Un homme qui s'aime et qui a des tas de
petites manières, une chevalière, un étui à cigarettes
en or et des petites manies..., seulement ceux-là, ce
qu'ils peuvent êtres rosses, quelquefois, c'est pis
que des femmes. Ce qui serait le mieux ce serait un
homme de quarante ans, quelqu'un qui se soignerait
encore avec des cheveux grisonnants aux tempes et

rejetés en arrière, très sec, avec de larges épaules,
très sportif, mais qui connaîtrait la vie et qui serait
bon parce qu'il aurait souffert. Lulu n'est qu'une
gamine, elle a de la chance d'avoir une amie comme
moi, parce que Pierre commence à se lasser, et il y
en a qui en profiteraient au lieu que moi je lui dis
toujours de prendre patience, et, quand il est un peu
tendre avec moi, je n'ai pas l'air d'y faire attention,
je me mets à parler de Lulu et je trouve toujours un
mot pour la faire valoir, mais elle ne mérite pas la
chance qu'elle a, elle ne se rend pas compte, je lui
souhaite de vivre un peu seule comme moi depuis
que Louis est parti, elle verrait ce que c'est de rentrer
seule dans sa chambre le soir, quand on a travaillé
toute la journée, et de trouver la chambre vide, et de
mourir d'envie de poser sa tête sur une épaule. On se
demande où on trouve le courage de se lever le lendemain matin et de retourner au travail, et d'être sédui-
sante et gaie, et de donner du courage à tout le monde
alors qu'on voudrait plutôt mourir que de continuer
cette vie-là. »

L'horloge sonna la demie de onze heures. Rirette
pensait au bonheur, à l'oiseau bleu, à l'oiseau du
bonheur, à l'oiseau rebelle de l'amour. Elle sursauta :
« Lulu a trente minutes de retard, c'est normal. Elle
ne quittera jamais son mari, elle n'a pas assez de volonté pour ça. Au fond, c'est surtout par respectabilité
qu'elle reste avec Henri : elle le trompe mais tant
qu'on lui dit " Madame ", elle pense que ça ne compte
pas. Elle dit pis que pendre de lui mais il ne faudrait
pas qu'on lui répète le lendemain ce qu'elle a dit,
elle se fâcherait tout rouge. J'ai fait tout ce que je
pouvais et je lui ai dit ce que j'avais à lui dire, tant
pis pour elle. »

Un taxi s'arrêta devant le Dôme, et Lulu en descendit. Elle portait une grosse valise, et son visage
était un peu solennel.

— J'ai quitté Henri, cria-t-elle de loin.

Elle s'approcha, courbée sous le poids de sa valise.
Elle souriait.

— Comment, Lulu ? dit Rirette saisie, vous ne
voulez pas dire... ?

— Oui, dit Lulu, c'est fini, je l'ai laissé tomber.

Rirette était encore incrédule :

— Il le sait ? Vous le lui avez dit ?

Les yeux de Lulu devinrent orageux :

— Et comment! dit-elle.

— Eh bien, ma petite Lulu!

Rirette ne savait trop que penser mais, en tout
état de cause, elle supposa que Lulu avait besoin
d'encouragements :

— Comme c'est bien, dit-elle, comme vous avez été
courageuse.

Elle eut envie d'ajouter : vous voyez que ça n'était
pas bien difficile. Mais elle se retint. Lulu se laissait
admirer : elle avait le rouge aux joues, et ses yeux
flamboyaient. Elle s'assit et posa sa valise près
d'elle. Elle portait un manteau de laine grise avec
une ceinture de cuir et un pull-over jaune clair au
col roulé. Elle était tête nue. Rirette n'aimait pas que
Lulu se promenât tête nue : elle reconnut tout de suite
le curieux mélange de blâme et d'amusement où elle
était plongée ; Lulu lui produisait toujours cet effet-
là. « Ce que j'aime en elle, décida Rirette, c'est sa
vitalité. »

— En cinq sec, dit Lulu. Et je lui ai dit ce que
j'avais sur le cœur. Il était sonné.

— Je n'en reviens pas, dit Rirette. Mais qu'est-ce

qui vous a pris, ma petite Lulu ? Vous avez mangé du
lion. Hier soir, j'aurais donné ma tête à couper que
vous ne le quitteriez pas.

— C'est à cause de mon petit frère. Avec moi je
veux bien qu'il fasse le supérieur, mais je ne peux
pas souffrir qu'il touche à ma famille.

— Mais comment ça s'est-il passé ?

— Où est le garçon ? dit Lulu en s'agitant sur sa
chaise. Les garçons du Dôme ne sont jamais là quand
on les appelle. C'est le petit brun qui nous sert ?

— Oui, dit Rirette. Vous savez que j'ai fait sa
conquête ?

— Ah ? Eh bien alors méfiez-vous de la dame du
lavabo, il est tout le temps fourré avec elle. Il lui fait
la cour, mais je crois que c'est un prétexte pour voir
les dames entrer aux cabinets ; quand elles sortent,
il les regarde dans les yeux pour les faire rougir. A
propos, je vous laisse une minute, il faut que je des-
cende téléphoner à Pierre, il va faire une tête ! Si vous
voyez le garçon, commandez-moi un café-crème ; j'en
ai pour une minute et je vous raconterai tout.

Elle se leva, fit quelques pas et revint vers Rirette.

— Je suis bien heureuse, ma petite Rirette.

— Chère Lulu, dit Rirette en lui prenant les mains.

Lulu se dégagea et traversa la terrasse d'un pas
léger. Rirette la regarda s'éloigner. « Je ne l'aurais
jamais crue capable de ça. Comme elle est gaie, pensa-
t-elle, un peu scandalisée, ça lui réussit de plaquer
son mari. Si elle m'avait écoutée, ce serait fait depuis
longtemps. De toute façon c'est grâce à moi ; au fond,
j'ai beaucoup d'influence sur elle. »

Lulu revint au bout de quelques instants :

— Pierre en était assis, dit-elle. Il voulait des
détails, mais je les lui donnerai tout à l'heure, je

déjeune avec lui. Il dit qu'on pourra peut-être partir demain soir.

— Comme je suis heureuse, Lulu, dit Rirette. Racontez-moi vite. C'est cette nuit que vous avez décidé ça ?

— Vous savez, je n'ai rien décidé, dit Lulu modestement, ça s'est décidé tout seul. Elle tapa nerveusement sur la table : « Garçon! Garçon ! Il m'embête ce garçon, je voudrais un café-crème. »

Rirette était choquée : à la place de Lulu et dans des circonstances aussi graves, elle n'aurait pas perdu son temps à courir après un café-crème. Lulu est quelqu'un de charmant, mais c'est étonnant comme elle peut être futile, c'est un oiseau.

Lulu pouffa de rire :

— Si vous aviez vu la tête d'Henri!

— Je me demande ce que va dire votre mère, dit Rirette avec sérieux.

— Ma mère ? Elle sera en-chan-tée, dit Lulu d'un air assuré. Il était malpoli avec elle, vous savez, elle en avait jusque-là. Toujours à lui reprocher de m'avoir mal élevée, que j'étais ci, que j'étais ça, qu'on voyait bien que j'avais reçu une éducation d'arrière-boutique. Vous savez, ce que j'en ai fait c'est un peu à cause d'elle.

— Mais que s'est-il passé ?

— Eh bien, il a giflé Robert.

— Mais Robert est donc venu chez vous ?

— Oui, en passant ce matin, parce que maman veut le mettre en apprentissage chez Gompez. Je crois que je vous l'ai dit. Alors il est passé chez nous pendant que nous prenions notre petit déjeuner, et Henri l'a giflé.

— Mais pourquoi ? demanda Rirette légèrement

agacée. Elle détestait la façon dont Lulu racontait les histoires.

— Ils ont eu des mots, dit Lulu vaguement, et le petit ne s'est pas laissé faire. Il lui tient tête. « Vieux cul » qu'il lui a fait, en pleine figure, Parce qu'Henri l'a appelé mal élevé, naturellement, il ne sait dire que ça ; je me tordais. Alors Henri s'est levé, nous déjeunions dans le studio, et il lui a flanqué une gifle, je l'aurais tué !

— Alors vous êtes partie ?

— Partie ? dit Lulu étonnée, où ?

— Je croyais que c'était à ce moment-là que vous l'aviez quitté. Écoutez, ma petite Lulu, il faut me raconter ça en ordre, sans ça je n'y comprends rien. Dites-moi, ajouta-t-elle, prise d'un soupçon, vous l'avez bien quitté, c'est bien vrai ?

— Mais oui, voilà une heure que je vous l'explique.

— Bon. Alors Henri a giflé Robert. Et après ?

— Après, dit Lulu, je l'ai enfermé sur le balcon, c'était trop drôle ? Il était encore en pyjama, il tapait à la vitre mais il n'osait pas casser les carreaux parce qu'il est avare comme un pou. Moi, à sa place, j'aurais tout bousillé, même si j'avais dû me mettre les mains en sang. Et puis les Texier se sont amenés. Alors il m'a fait des sourires à travers la fenêtre, il faisait semblant que c'était une plaisanterie.

Le garçon passait ; Lulu le saisit par le bras :

— Alors, vous voilà, garçon ? Est-ce que ça vous dérangerait de me servir un café-crème ?

Rirette se sentit gênée et elle fit au garçon un sourire un peu complice, mais le garçon resta sombre et s'inclina avec une obséquiosité pleine de blâme. Rirette en voulut un peu à Lulu : elle ne savait jamais prendre le ton juste avec les inférieurs, elle était tantôt trop familière, tantôt trop exigeante et trop sèche.

Lulu se mit à rire.

— Je ris parce que je revois Henri en pyjama sur le balcon ; il tremblait de froid. Vous savez comment je m'y suis prise pour l'enfermer ? Il était au fond du studio, Robert pleurait, et il faisait des sermons. J'ai ouvert la fenêtre et j'ai fait : « Regarde Henri ! il y a un taxi qui a renversé la marchande de fleurs. » Il est venu à côté de moi : il aime bien la marchande de fleurs parce qu'elle lui a dit qu'elle était Suisse et il croit qu'elle est amoureuse de lui. « Où ça ? Où ça ? » qu'il disait. Moi je me suis retirée en douce, je suis rentrée dans la chambre et j'ai refermé la fenêtre. Je lui ai crié à travers la vitre : « Ça t'apprendra à faire la brute avec mon frère. » Je l'ai laissé plus d'une heure sur le balcon, il nous regardait avec des yeux ronds, il était bleu de colère. Moi je lui tirais la langue et je donnais des bonbons à Robert ; après ça, j'ai apporté mes affaires dans le studio et je me suis habillée devant Robert parce que je sais qu'Henri déteste ça : Robert m'embrassait les bras et dans le cou comme un petit homme, il est charmant ; nous faisions comme si Henri n'était pas là. De l'affaire, j'ai oublié de me laver.

— Et l'autre qui était là derrière la fenêtre. C'est trop comique, dit Rirette en riant aux éclats.

Lulu cessa de rire :

— J'ai peur qu'il n'ait pris froid, dit-elle sérieusement ; dans la colère on ne réfléchit pas. Elle reprit avec gaieté : « Il nous tendait le poing et il parlait tout le temps, mais je ne comprenais pas la moitié de ce qu'il disait. Puis Robert est parti, et là-dessus les Texier ont sonné, et je les ai fait entrer. Quand il les a vus, il est devenu tout sourire, il a fait des courbettes sur le balcon et moi je leur disais : " Regardez mon mari, mon grand chéri, s'il ne ressemble pas à un poisson dans un aquarium ? " Les Texier le saluaient à travers la vitre, ils étaient légèrement ahuris mais ils savent se tenir.

— Je vois ça d'ici, dit Rirette en riant. Haha ! Votre mari sur le balcon et les Texier dans le studio ! » Elle répéta plusieurs fois « votre mari sur le balcon et les Texier dans le studio... » Elle aurait voulu trouver des mots drôles et pittoresques pour décrire la scène à Lulu, elle pensait que Lulu n'avait pas le sens du comique. Mais les mots ne vinrent pas.

— J'ai ouvert la fenêtre, dit Lulu, et Henri est rentré. Il m'a embrassée devant les Texier et il m'a appelée petite friponne. « La petite friponne, qu'il faisait, elle a voulu me jouer un tour ». Et je souriais, et les Texier souriaient poliment, tout le monde souriait. Mais quand ils ont été partis, il m'a lancé un coup de poing sur l'oreille. Alors j'ai pris une brosse et je la lui ai envoyée sur le coin de la bouche : je lui ai fendu les deux lèvres.

— Ma pauvre Lulu, dit Rirette avec tendresse.

Mais Lulu repoussa du geste toute compassion. Elle se tenait droite en secouant ses boucles brunes d'un air combatif, et ses yeux lançaient des éclairs.

— C'est là qu'on s'est expliqué : je lui ai lavé les lèvres avec une serviette et je lui ai dit que j'en avais marre, que je ne l'aimais plus, et que je partirais. Il s'est mis à pleurer, il a dit qu'il se tuerait. Mais ça ne prend plus : vous vous rappelez, Rirette, l'année dernière, au moment de ces histoires avec la Rhénanie, il me chantait ça tous les jours : il va y avoir la guerre. Lulu, je vais partir et je serai tué, et tu me regretteras, tu auras du remords pour toutes les peines que tu

m'as faites. « Ça va, que je lui répondais, tu es impuissant, c'est un cas de réforme. » Tout de même je l'ai
calmé, parce qu'il parlait de m'enfermer à clef dans le
studio, je lui ai juré que je ne partirais pas avant
un mois. Après ça, il a été à son bureau, il avait les
yeux rouges et un bout de taffetas gommé sur la
lèvre, il n'était pas beau. Moi, j'ai fait le ménage, j'ai
mis les lentilles sur le feu et j'ai fait ma valise. Je lui
ai laissé un mot sur la table de la cuisine.

— Qu'est-ce que vous lui écriviez ?

— Je lui mettais, dit Lulu fièrement : « Les lentilles
sont sur le feu. Sers-toi et éteins le gaz. Il y a du
jambon dans le frigidaire. Moi j'en ai marre et je les
mets. Adieu. »

Elles rirent toutes deux et des passants se retournèrent. Rirette pensa qu'elles devaient offrir un spectacle charmant et elle regretta de ne pas être assise
à la terrasse de Viel ou du Café de la Paix. Quand
elles eurent fini de rire, elles se turent, et Rirette
s'aperçut qu'elles n'avaient plus rien à se dire. Elle
était un peu déçue.

— Il faut que je me sauve, dit Lulu en se levant ;
je retrouve Pierre à midi. Qu'est-ce que je vais faire
de ma valise ?

— Laissez-la moi, dit Rirette, je la confierai tout
à l'heure à la dame des lavabos. Quand est-ce que je
vous revois ?

— Je viendrai vous prendre chez vous à deux
heures, j'ai un tas de courses à faire avec vous : je
n'ai pas pris la moitié de mes affaires, il faudra que
Pierre me donne de l'argent.

Lulu partit, et Rirette appela le garçon. Elle se
sentait grave et triste pour deux. Le garçon accourut :
Rirette avait déjà remarqué qu'il s'empressait tou-

jours de venir quand c'était elle qui l'appelait.

— C'est cinq francs, dit-il. Il ajouta d'un air un peu sec : vous étiez bien gaies toutes les deux, on vous entendait rire d'en bas.

Lulu l'a blessé, pensa Rirette avec dépit. Elle dit en rougissant :

— Mon amie est un peu nerveuse ce matin.

— Elle est charmante, dit le garçon avec âme. Je vous remercie, mademoiselle.

Il empocha les six francs et s'en fut. Rirette était un peu étonnée mais midi sonna et elle pensa qu'Henri allait rentrer chez lui et trouver le mot de Lulu : ce fut pour elle un moment plein de douceur.

— Je voudrais qu'on envoie tout ça *avant demain soir*, à l'hôtel du Théâtre, rue Vandamme, dit Lulu à la caissière, d'un air de dame. Elle se tourna vers Rirette :

— C'est fini, Rirette, on les met.

— Quel nom ? dit la caissière.

— Mme Lucienne Crispin.

Lulu jeta son manteau sur son bras et se mit à courir ; elle descendit en courant le grand escalier de la Samaritaine. Rirette la suivait, faillit plusieurs fois tomber parce qu'elle ne regardait pas ses pieds : elle n'avait d'yeux que pour la mince silhouette bleue et jaune serin qui dansait devant elle! « C'est pourtant vrai qu'elle a un corps obscène... » Chaque fois que Rirette voyait Lulu de dos ou de profil, elle était frappée par l'obscénité de ses formes mais elle ne s'expliquait pas pourquoi ; c'était une impression. « Elle est souple et mince, mais elle a quelque chose d'indécent, je ne sors pas de là. Elle fait tout

ce qu'elle peut pour se mouler, ça doit être ça. Elle
dit qu'elle a honte de son derrière et elle met des jupes
qui lui collent aux fesses. Il est petit, son derrière, je
veux bien, bien plus petit que le mien, mais il se voit
davantage. Il est tout rond, au-dessous de ses reins
maigres, il remplit bien la jupe, on dirait qu'on l'a
coulé dedans ; et puis il danse. »

Lulu se retourna, et elles se sourirent. Rirette
pensait au corps indiscret de son amie avec un mélange
de réprobation et de langueur : de petits seins re-
troussés, une chair polie, toute jaune — quand on
la touchait on aurait juré du caoutchouc — de longues
cuisses, un long corps canaille, aux membres longs :
« Un corps de négresse, pensa Rirette, elle a l'air
d'une négresse qui danse la rumba. » Près de la porte
tambour, une glace renvoya à Rirette le reflet de ses
formes pleines : « Je suis plus sportive, pensa-t-elle
en prenant le bras de Lulu, elle fait plus d'effet que
moi quand nous sommes habillées, mais, toute nue,
je suis sûrement mieux qu'elle. »

Elles restèrent un moment silencieuses, puis Lulu
dit :

— Pierre a été charmant. Vous aussi vous avez
été charmante, Rirette, je vous suis bien reconnaissante à tous les deux.

Elle avait dit ça d'un air contraint, mais Rirette
n'y fit pas attention : Lulu n'avait jamais su remercier,
elle était trop timide.

— Ça m'embête, dit soudain Lulu, mais il faut que
je m'achète un soutien-gorge.

— Ici ? dit Rirette. Elles passaient justement
devant un magasin de lingerie.

— Non. Mais c'est parce que j'en voyais que j'y
ai pensé. Pour les soutiens-gorge, je vais chez Fischer.

— Boulevard du Montparnasse ? s'écria Rirette. Faites bien attention, Lulu, reprit-elle gravement, il vaudrait mieux ne pas trop hanter le boulevard du Montparnasse, surtout à cette heure-ci : nous allons tomber sur Henri, ce sera infiniment désagréable.

— Sur Henri ? dit Lulu en haussant les épaules ; mais non, pourquoi ?

L'indignation empourpra les joues et les tempes de Rirette.

— Vous êtes bien toujours la même, ma petite Lulu, quand une chose vous déplaît, vous la niez, purement et simplement. Vous avez envie d'aller chez Fischer, alors vous me soutenez qu'Henri ne passe pas sur le boulevard du Montparnasse. Vous savez très bien qu'il y passe tous les jours à six heures, c'est son chemin. Vous me l'avez dit vous-même : il remonte la rue de Rennes et il va attendre l'AE à l'angle du boulevard Raspail.

— D'abord il n'est que cinq heures, dit Lulu, et puis il n'a peut-être pas été au bureau : après le mot que je lui ai écrit, il a dû s'étendre.

— Mais Lulu, dit soudain Rirette, il y a un autre Fischer, vous savez bien, pas loin de l'Opéra, dans la rue du Quatre-Septembre.

— Oui, dit Lulu d'un air veule, mais il faudra y aller.

— Ah ! je vous aime bien, ma petite Lulu ! Il faudra y aller ! Mais c'est à deux pas, c'est bien plus près que le carrefour Montparnasse.

— J'aime pas ce qu'ils vendent.

Rirette pensa avec amusement que tous les Fischer vendaient les mêmes articles. Mais Lulu avait des obstinations incompréhensibles : Henri était incontes-tablement la personne qu'elle avait le moins envie de rencontrer en ce moment, et on aurait dit qu'elle faisait exprès de se jeter dans ses jambes.

— Eh bien, dit-elle avec indulgence, allons à Montparnasse, d'ailleurs Henri est si grand que nous l'apercevrons avant qu'il ne nous voie.

— Et puis, quoi ? dit Lulu, si on le rencontre, on le rencontrera, c'est tout. Il ne va pas nous manger.

Lulu tint à gagner Montparnasse à pied ; elle dit qu'elle avait besoin d'air. Elles suivirent la rue de Seine, puis la rue de l'Odéon et la rue de Vaugirard. Rirette fit l'éloge de Pierre et montra à Lulu combien il avait été parfait dans cette circonstance.

— Ce que j'aime Paris, dit Lulu, ce que je vais avoir de regrets!

— Taisez-vous donc, Lulu. Quand je pense que vous avez la chance d'aller à Nice et que vous regrettez Paris.

Lulu ne répondit pas, elle se mit à regarder à droite et à gauche d'un air triste et chercheur.

Lorsqu'elles sortirent de chez Fischer elles entendirent sonner six heures. Rirette prit Lulu par le coude et voulut l'emmener au plus vite. Mais Lulu s'arrêta devant Baumann le fleuriste.

— Regardez ces azalées, ma petite Rirette. Si j'avais un beau salon, j'en mettrais partout.

— Je n'aime pas les fleurs en pot, dit Rirette.

Elle était exaspérée. Elle tourna la tête du côté de la rue de Rennes et, naturellement, au bout d'une minute elle vit apparaître la grande silhouette stupide d'Henri. Il était nu-tête et portait un veston de sport en tweed marron. Rirette détestait le marron :

— Le voilà, Lulu, le voilà, dit-elle précipitamment.

— Où ? dit Lulu, où est-il ?

Elle n'était guère plus calme que Rirette.

— Derrière nous, sur l'autre trottoir. Filons, et ne vous retournez pas.

Lulu se retourna tout de même.

— Je le vois, dit-elle.

Rirette chercha à l'entraîner mais Lulu se raidit, elle regardait fixement Henri. Elle dit enfin :

— Je crois qu'il nous a vues.

Elle paraissait effrayée, elle céda d'un seul coup à Rirette et se laissa docilement emmener.

— Maintenant, pour l'amour du Ciel, Lulu, ne vous retournez plus, dit Rirette un peu essoufflée. Nous allons tourner dans la prochaine rue à droite, c'est la rue Delambre.

Elles marchaient très vite et bousculaient les passants. Par moments, Lulu se faisait un peu traîner, à d'autres moments c'était elle qui tirait Rirette en avant. Mais elles n'avaient pas atteint le coin de la rue Delambre quand Rirette vit une grande ombre brune un peu en arrière de Lulu ; elle comprit que c'était Henri et se mit à trembler de colère. Lulu gardait les paupières baissées, elle avait l'air sournois et buté. « Elle regrette son imprudence mais il est trop tard, tant pis pour elle. »

Elles pressèrent le pas ; Henri les suivait sans dire un mot. Elles dépassèrent la rue Delambre et continuèrent à marcher dans la direction de l'Observatoire. Rirette entendait craquer les souliers d'Henri ; il y avait aussi une sorte de râle léger et régulier qui scandait leur marche : c'était le souffle d'Henri (Henri avait toujours eu le souffle fort, mais jamais à ce point-là : il avait dû courir pour les rejoindre, ou bien c'était l'émotion).

« Il faut faire comme s'il n'était pas là, pensa Rirette. Ne pas avoir l'air de s'apercevoir de son existence. » Mais elle ne put s'empêcher de le regarder du coin de l'œil. Il était blanc comme un linge et baissait tellement les paupières que ses yeux semblaient clos. « On dirait un somnambule », pensa Rirette avec une espèce d'horreur. Les lèvres d'Henri tremblaient, et sur la lèvre inférieure, un petit bout de taffetas rose, à moitié décollé, s'était mis à trembler aussi. Et le souffle ; toujours le souffle égal et rauque qui se terminait à présent par une petite musique nasillarde. Rirette se sentait mal à l'aise : elle ne craignait pas Henri mais la maladie et la passion lui faisaient toujours un peu peur. Au bout d'un moment, Henri avança doucement la main, sans regarder, et saisit le bras de Lulu. Lulu tordit la bouche comme si elle allait pleurer et se dégagea en frissonnant.

— Pfffouh ! fit Henri.

Rirette avait une envie folle de s'arrêter : elle avait un point de côté, et ses oreilles bourdonnaient. Mais Lulu courait presque ; elle aussi, elle avait l'air d'une somnambule. Rirette eut l'impression que, si elle lâchait le bras de Lulu et si elle s'arrêtait, ils continueraient tous deux à courir côte à côte, muets, pâles comme des morts et les yeux clos.

Henri se mit à parler. Il dit d'une drôle de voix enrouée :

— Rentre avec moi.

Lulu ne répondit pas. Henri reprit, de la même voix rauque et sans intonation :

— Tu es ma femme. Rentre avec moi.

— Vous voyez bien qu'elle ne veut pas rentrer, répondit Rirette les dents serrées. Laissez-la tranquille.

Il n'eut pas l'air de l'entendre. Il répétait :

— Je suis ton mari, je veux que tu rentres avec moi.

— Je vous prie de la laisser tranquille, dit Rirette
sur un ton aigu, vous ne gagnerez rien à l'embêter
comme ça, fichez-nous la paix.

Il tourna vers Rirette un visage étonné :

— C'est ma femme, dit-il ; elle est à moi ; je veux
qu'elle rentre avec moi.

Il avait pris le bras de Lulu, et cette fois Lulu ne
se dégagea pas :

— Allez-vous-en, dit Rirette.

— Je ne m'en irai pas, je la suivrai partout, je veux
qu'elle rentre à la maison.

Il parlait avec effort. Tout à coup, il fit une grimace
qui découvrit ses dents et il cria de toutes ses forces :

— Tu es à moi !

Des gens se retournèrent en riant. Henri secouait
le bras de Lulu et grondait comme une bête en retroussant les lèvres. Par bonheur, un taxi vide vint à passer. Rirette lui fit signe et s'arrêta. Henri s'arrêta
aussi. Lulu voulut poursuivre sa marche mais ils la
maintinrent solidement, chacun par un bras.

— Vous devriez comprendre, dit Rirette en tirant
Lulu vers la chaussée, que vous ne la ramènerez jamais
à vous par ces violences.

— Laissez-la, laissez ma femme, dit Henri en
tirant en sens inverse.

Lulu était molle comme un paquet de linge.

— Vous montez ou vous ne montez pas ? cria le
chauffeur impatienté.

Rirette lâcha le bras de Lulu et fit pleuvoir une
grêle de coups sur les mains d'Henri. Mais il ne paraissait pas les sentir. Au bout d'un moment, il lâcha
prise et se mit à regarder Rirette d'un air stupide.
Rirette le regarda aussi. Elle avait peine à rassembler
ses idées, un immense écœurement l'avait envahie.

Ils restèrent ainsi les yeux dans les yeux pendant quelques secondes ; ils soufflaient tous les deux. Puis Rirette se reprit, elle saisit Lulu par la taille et la traîna jusqu'au taxi.

— Où va-t-on ? dit le chauffeur.

Henri les avait suivies, il voulait monter avec elles. Mais Rirette le repoussa de toutes ses forces et referma précipitamment la portière.

— Oh! partez, partez, fit-elle au chauffeur. On vous dira l'adresse après.

Le taxi démarra, et Rirette se laissa aller au fond de la voiture. « Comme tout cela était vulgaire », pensa-t-elle. Elle haïssait Lulu.

— Où voulez-vous aller, ma petite Lulu ? demanda-t-elle doucement.

Lulu ne répondit pas. Rirette l'entoura de ses bras et se fit persuasive :

— Il faut me répondre. Voulez-vous que je vous dépose chez Pierre ?

Lulu fit un mouvement que Rirette prit pour un acquiescement. Elle se pencha en avant :

— 11, rue de Messine.

Quand Rirette se retourna, Lulu la regardait d'un drôle d'air.

— Qu'est-ce qu'il..., commença Rirette.

— Je vous déteste, hurla Lulu, je déteste Pierre, je déteste Henri. Qu'est-ce que vous avez tous après moi ? Vous me torturez.

Elle s'arrêta net, et tous ses trait se brouillèrent.

— Pleurez, dit Rirette avec une dignité calme, pleurez, ça vous fera du bien.

Lulu se plia en deux et se mit à sangloter. Rirette la prit dans ses bras et la serra contre elle. De temps à autre, elle lui caressait les cheveux. Mais, au-dedans,

elle se sentait froide et méprisante. Quand la voiture
s'arrêta, Lulu s'était calmée. Elle s'essuya les yeux
et se poudra.

— Excusez-moi, dit-elle gentiment, c'était nerveux.
Je n'ai pas pu supporter de le voir dans cet état, il
me faisait mal.

— Il avait l'air d'un orang-outang, dit Rirette
rassérénée.

Lulu sourit.

— Quand est-ce que je vous revois ? demanda
Rirette.

— Oh! pas avant demain. Vous savez que Pierre
ne peut pas me loger à cause de sa mère ? Je suis à
l'hôtel du Théâtre, Vous pourriez venir assez tôt,
vers les neuf heures, si ça ne vous dérange pas, parce
qu'ensuite j'irai voir maman.

Elle était blafarde, et Rirette pensa avec tristesse
que c'était terrible la facilité avec laquelle Lulu pouvait se décomposer.

— N'en faites pas trop, ce soir, dit-elle.

— Je suis terriblement fatiguée dit Lulu, j'espère
que Pierre me laissera rentrer de bonne heure, mais
il ne comprend jamais ces choses-là.

Rirette garda le taxi et se fit conduire chez elle.
Elle avait pensé un moment qu'elle irait au cinéma
mais elle n'en avait plus le cœur. Elle jeta son chapeau
sur une chaise et fit un pas vers la fenêtre. Mais le
lit l'attirait, tout blanc, tout doux, tout moite dans
son creux d'ombre. S'y jeter, sentir la caresse de l'oreiller contre ses joues brûlantes. « Je suis forte, c'est
moi qui ai tout fait pour Lulu et maintenant je suis
seule et personne ne fait rien pour moi. » Elle avait
tant de pitié pour elle-même qu'elle sentit une houle
de sanglots monter jusqu'à sa gorge. « Ils vont partir

pour Nice, et je ne les verrai plus. C'est moi qui aurai
fait leur bonheur, mais ils ne penseront plus à moi.
Et moi je resterai ici à travailler huit heures par jour,
à vendre des perles fausses chez Burma. » Quand les
premières larmes roulèrent sur ses joues, elle se laissa
tomber doucement sur son lit. « A Nice... répétait-
elle en pleurant amèrement, à Nice... au soleil... sur
la Riviera... »

III

« Pouah! »

Nuit noire. On aurait dit que quelqu'un marchait dans la chambre : un homme avec des pantoufles. Il avançait avec précaution un pied, puis l'autre, sans pouvoir éviter un léger craquement du plancher. Il s'arrêtait, il y avait un moment de silence, puis, transporté soudain à l'autre bout de la chambre, il reprenait, comme un maniaque, sa marche sans but. Lulu avait froid, les couvertures étaient beaucoup trop légères. Elle avait dit : « Pouah! » à voix haute et le son de sa voix lui avait fait peur.

Pouah! Je suis sûre qu'à présent il regarde le ciel et les étoiles, il allume une cigarette, il est dehors, il a dit qu'il aimait la teinte mauve du ciel de Paris. A petits pas, il rentre chez lui, à petits pas : il se sent poétique quand il vient de faire ça, il me l'a dit, et léger comme une vache qu'on vient de traire, il n'y pense plus — et moi je suis souillée. Ça ne m'étonne pas qu'il soit pur en ce moment, il a laissé son ordure ici, dans le noir, il y a un essuie-main qui en est rempli, et le drap est humide au milieu du lit, je ne peux pas étendre mes jambes parce que je sentirais le mouillé sous ma peau, quelle ordure, et lui il est tout sec, je

l'ai entendu qui sifflotait sous ma fenêtre quand il
est sorti ; il était là en dessous, sec et frais dans ses
beaux habits, dans son pardessus de demi-saison,
il faut reconnaître qu'il sait s'habiller, une femme peut
être fière de sortir avec lui, il était sous ma fenêtre, et
moi j'étais nue dans le noir, et j'avais froid, et je
me frottais le ventre avec les mains parce que je me
croyais encore toute mouillée. « Je monte une minute,
qu'il avait fait, juste pour voir ta chambre. » Il est
resté deux heures, et le lit grinçait — ce sale petit
lit de fer. Je me demande où il a été chercher cet hôtel,
il m'avait dit qu'il y avait passé quinze jours autrefois, que j'y serais très bien, ce sont de drôles de chambres, j'en ai vu deux, je n'ai jamais vu de chambres
si petites, et elles sont encombrées de meubles, il y
a des poufs et des canapés et des petites tables, ça
pue l'amour, je ne sais pas s'il y a passé quinze jours
mais il ne les a sûrement pas passés seul ; il faut qu'il
me respecte bien peu pour m'avoir collée là-dedans. Le
garçon de l'hôtel rigolait quand nous sommes montés,
c'est un Algérien, je déteste ces types-là, j'en ai peur,
il m'a regardé les jambes, après ça il est entré dans le
bureau, il a dû se dire : « Ça y est, ils font ça » et il
s'est imaginé des choses sales, il paraît que c'est effrayant ce qu'ils font là-bas, aux femmes ; s'il y en a
une qui leur tombe sous la main, elle reste boiteuse
pour la vie ; et tout le temps que Pierre m'embêtait
je pensais à cet Algérien qui pensait à ce que je faisais
et qui se figurait des ordures pires encore que ça n'était.
Il y a quelqu'un dans la chambre!

Lulu retint son souffle, mais les craquements cessèrent presque aussitôt. J'ai mal entre les cuisses,
ça me démange et ça me cuit, j'ai envie de pleurer,
et ce sera ainsi toutes les nuits sauf la nuit prochaine

parce que nous serons dans le train. Lulu se mordit la
lèvre et frissonna parce qu'elle se rappelait qu'elle
avait gémi. C'est pas vrai, je n'ai pas gémi, j'ai seulement respiré un peu fort, parce qu'il est si lourd, que
quand il est sur moi il me coupe le souffle. Il m'a dit :
« Tu gémis, tu jouis », j'ai horreur qu'on parle en faisant ça, je voudrais qu'on s'oublie, mais lui il n'arrête
pas de dire des cochonneries. Je n'ai pas gémi, d'abord,
je ne peux pas prendre de plaisir, c'est un fait, le
médecin l'a dit, à moins que je ne me le donne moi-
même Il ne veut pas le croire, ils n'ont jamais voulu
le croire, ils disaient tous : « C'est parce qu'on t'a
mal commencée, moi je t'apprendrai le plaisir » ;
je les laissais dire, je savais bien ce qui en était, c'est
médical ; mais ça les vexe.

Quelqu'un montait l'escalier. C'est quelqu'un qui
rentre. A moins, mon Dieu, que ce soit lui qui revienne.
Il en est bien capable, si l'envie l'a repris. Ce n'est pas
lui, ce sont des pas lourds — ou alors — le cœur
de Lulu sauta dans sa poitrine — si c'était l'Algérien,
il sait que je suis seule, il va venir cogner à la porte,
je ne peux pas, je ne peux pas supporter ça, non,
c'est à l'étage d'en dessous, c'est un type qui rentre,
il met sa clef dans la serrure, il lui faut du temps,
il est soûl, je me demande qui loge dans cet hôtel,
ça doit être du propre ; j'ai rencontré une rousse,
cet après-midi, dans l'escalier, elle avait des yeux de
droguée. Je n'ai pas gémi! Mais naturellement il a
fini par me troubler avec tous ses tripotages, il sait
faire ; j'ai horreur des types qui savent faire, j'aimerais
mieux coucher avec un vierge. Ces mains qui vont
tout droit où il faut, qui frôlent, qui appuient un
peu, pas trop... ils vous prennent pour un instrument
dont ils sont fiers de savoir jouer. Je déteste qu'on

me trouble, j'ai la gorge sèche, j'ai peur et j'ai un
goût dans la bouche, et je suis humiliée parce qu'ils
croient qu'ils me dominent ; Pierre, je le giflerais
quand il prend son air fat et qu'il dit : « J'ai la technique. » Mon Dieu, dire que la vie c'est ça, c'est
pour ça qu'on s'habille et qu'on se lave, et qu'on
se fait belle, et tous les romans sont écrits sur ça, et
on y pense tout le temps, et finalement voilà ce que
c'est, on s'en va dans une chambre avec un type qui
vous étouffe à moitié et qui vous mouille le ventre
pour finir. Je veux dormir, oh ! si je pouvais seulement un peu dormir, demain je voyagerai toute la
nuit, je serai brisée. Je voudrais tout de même être
un peu fraîche pour me balader dans Nice ; il paraît
que c'est si beau, il y a des petites rues italiennes et
des linges de couleur qui sèchent au soleil, je m'ins-
tallerai avec mon chevalet et je peindrai, et des petites
filles viendront regarder ce que je fais. Saloperie ! (elle
s'était un peu avancée et sa hanche avait touché la
tache humide du drap). C'est pour faire ça qu'il m'emmène. Personne, personne ne m'aime. Il marchait
à côté de moi, et je défaillais presque et j'attendais un
mot de tendresse, il aurait dit : « Je t'aime » je ne
serais pas revenue chez lui bien sûr, mais je lui aurais
dit quelque chose de gentil, on se serait quittés bons
amis, j'attendais, j'attendais, il m'a pris le bras et je
lui ai laissé mon bras, Rirette était furieuse, ça n'est
pas vrai qu'il avait l'air d'un orang-outang, mais je
savais qu'elle pensait quelque chose comme ça, elle
le regardait de côté avec de sales yeux, c'est étonnant
comme elle peut être mauvaise, eh bien, malgré ça
quand il m'a pris le bras je n'ai pas résisté mais ça
n'est pas *moi* qu'il voulait, il voulait *sa femme* parce
qu'il m'a épousée et qu'il est mon mari ; il me rabais-

sait toujours, il disait qu'il était plus intelligent que moi, et tout ce qui est arrivé, c'est sa faute, il n'avait qu'à ne pas me traiter de son haut, je serais encore avec lui. Je suis sûre qu'il ne me regrette pas en ce moment, il ne pleure pas, il râle, voilà ce qu'il fait et il est bien content parce qu'il a le lit pour lui tout seul et qu'il peut étendre ses grandes jambes. Je voudrais mourir. J'ai si peur qu'il ne pense du mal de moi ; je ne pouvais rien lui expliquer parce que Rirette était entre nous, elle parlait, elle parlait, elle avait l'air hystérique. Elle est contente à présent, elle se complimente sur son courage, comme c'est malin avec Henri qui est doux comme un mouton. J'irai. Ils ne peuvent tout de même pas me forcer à le quitter comme un chien. Elle sauta hors du lit et tourna le commutateur. Mes bas et une combinaison ça suffit. Elle ne prit même pas la peine de se peigner, tant elle était pressée, et les gens qui me verront ne sauront pas que je suis nue sous mon grand manteau gris, il me tombe jusqu'aux pieds. L'Algérien — elle s'arrêta le cœur battant — il va falloir que je le réveille pour qu'il m'ouvre la porte. Elle descendit à pas de loup — mais les marches craquaient une à une ; elle frappa contre la vitre du bureau.

— Qu'est-ce que c'est ? dit l'Algérien.

Ses yeux étaient roses et ses cheveux embroussaillés, il n'avait pas l'air bien redoutable.

— Ouvrez-moi la porte, dit Lulu avec sécheresse.

Un quart d'heure plus tard, elle sonnait chez Henri.

— Qui est là ? demanda Henri à travers la porte.

— C'est moi.

Il ne répond rien, il ne veut pas me laisser rentrer chez moi. Mais je taperai sur la porte jusqu'à ce qu'il ouvre, il cédera à cause des voisins. Au bout d'une minute la porte s'entrebâilla et Henri apparut, blafard avec un bouton sur le nez ; il était en pyjama. « Il n'a pas dormi », pensa Lulu avec tendresse.

— Je ne voulais pas partir comme ça ; je voulais te revoir.

Henri ne disait toujours rien. Lulu entra en le poussant un peu. Qu'il est donc emprunté, on le trouve toujours sur son passage, il me regarde avec des yeux ronds, il a les bras ballants, il ne sait que faire de son corps. Tais-toi, va, tais-toi, je vois bien que tu es ému et que tu ne peux pas parler. Il faisait effort pour avaler sa salive, et ce fut Lulu qui dut fermer la porte.

— Je veux qu'on se quitte bons amis, dit-elle.

Il ouvrit la bouche comme s'il voulait parler, tourna précipitamment sur lui-même et s'enfuit. Qu'est-ce qu'il fait ? Elle n'osait le suivre. Est-ce qu'il pleure ? Elle l'entendit soudain tousser : il est aux cabinets. Quand il revint, elle se pendit à son cou et colla sa bouche contre la sienne : il sentait le vomi. Lulu éclata en sanglots :

— J'ai froid, dit Henri.

— Couchons-nous, proposa-t-elle en pleurant, je peux rester jusqu'à demain matin.

Ils se couchèrent, et Lulu fut secouée d'énormes sanglots parce qu'elle retrouvait sa chambre et son beau lit propre et la lueur rouge dans la vitre. Elle pensait que Henri la prendrait dans ses bras, mais il n'en fit rien : il était couché tout de son long, comme si on avait mis un piquet dans le lit. Il est aussi raide que quand il parle avec un Suisse. Elle lui prit la tête à deux mains et le regarda fixement. « Tu es pur, toi, tu es pur. » Il se mit à pleurer.

— Que je suis malheureux, dit-il, je n'ai jamais été aussi malheureux.

— Moi non plus, dit Lulu.

Ils pleurèrent longtemps. Au bout d'un moment, elle éteignit et mit la tête sur son épaule. Si on pouvait rester comme ça toujours : purs et tristes comme deux orphelins ; mais ça n'est pas possible, ça n'arrive pas dans la vie. La vie était une énorme vague qui allait fondre sur Lulu et l'arracher aux bras de Henri. Ta main, ta grande main. Il en est fier parce qu'elles sont grandes, il dit que les descendants de vieille famille ont toujours de grandes extrémités. Il ne me prendra plus la taille entre ses mains — il me chatouillait un peu mais j'étais fière parce qu'il pouvait presque joindre ses doigts. Ce n'est pas vrai qu'il est impuissant, il est pur, pur — et un peu paresseux. Elle sourit à travers ses larmes et l'embrassa sous le menton.

— Qu'est-ce que je vais dire, à mes parents ? fit Henri. Ma mère en mourra.

Mme Crispin ne mourrait pas, elle triompherait au contraire. Ils parleront de moi, au repas, tous les cinq, avec des airs de blâme, comme des gens qui en savent long mais qui ne veulent pas tout dire à cause de la petite qui a seize ans, qui est trop jeune pour qu'on parle de certaines choses devant elle. Elle rigolera au-dedans parce qu'elle saura tout, elle sait toujours tout et elle me déteste. Toute cette boue ! Et les apparences sont contre moi.

— Ne leur dis pas tout de suite, supplia-t-elle, dis que je suis à Nice pour ma santé.

— Ils ne me croiront pas.

Elle embrassa Henri à petits coups rapides sur tout le visage.

— Henri, tu n'étais pas assez gentil avec moi.

— C'est vrai, dit Henri, je n'étais pas assez gentil. Mais toi non plus, dit-il à la réflexion, tu n'étais pas assez gentille.

— Moi non plus. Hou! dit Lulu, que nous sommes malheureux!

Elle pleurait si fort qu'elle pensa suffoquer : bientôt le jour allait paraître, et elle partirait. On ne fait jamais, jamais ce qu'on veut, on est emporté.

— Tu n'aurais pas dû partir comme ça, dit Henri.

Lulu soupira.

— Je t'aimais bien, Henri.

— Et maintenant, tu ne m'aimes plus ?

— Ce n'est pas la même chose.

— Avec qui pars-tu ?

— Avec des gens que tu ne connais pas.

— Comment connais-tu des gens que je ne connais pas, dit Henri avec colère, où les as-tu vus ?

— Laisse ça, mon chéri, mon petit Gulliver, tu ne vas pas faire le mari en ce moment ?

— Tu pars avec un homme! dit Henri en pleurant.

— Écoute, Henri, je te jure que non, je te le jure sur la tête de maman, les hommes me dégoûtent trop en ce moment. Je pars avec un ménage, des amis de Rirette, des gens âgés. Je veux vivre seule, ils me trouveront du travail ; oh! Henri, si tu savais comme j'ai besoin de vivre seule, comme tout ça me dégoûte.

— Quoi ? dit Henri, qu'est-ce qui te dégoûte ?

— Tout! elle l'embrassa — il n'y a que toi qui ne me dégoûte pas, mon chéri.

Elle passa ses mains sous le pyjama de Henri et le caressa longuement par tout le corps. Il frissonna sous ces mains glacées mais il se laissa faire, il dit seulement :

— Je vais prendre mal.

Il y avait en lui, sûrement, quelque chose de brisé.

A sept heures, Lulu se leva, les yeux gonflés de larmes, elle dit avec lassitude.

— Il faut que je retourne là-bas.

— Où là-bas ?

— Je suis à l'hôtel du Théâtre, rue Vandamme. C'est un sale hôtel.

— Reste avec moi.

— Non, Henri, je t'en prie, n'insiste pas, je t'ai dit que c'était impossible.

« C'est le flot qui vous emporte, c'est la vie ; on ne peut pas juger, ni comprendre, il n'y a qu'à se laisser aller. Demain je serai à Nice. » Elle passa dans le cabinet de toilette pour baigner ses yeux dans l'eau tiède. Elle remit son manteau en grelottant. « C'est comme une fatalité. Pourvu que je puisse dormir dans le train, cette nuit, sans ça je serai claquée en arrivant à Nice. J'espère qu'il a pris des premières ; ce sera la première fois que je voyagerai en première. Tout est toujours comme ça : voilà des années que j'ai envie de faire un long voyage en première classe et le jour où ça m'arrive les choses s'arrangent de telle façon que ça ne me fait presque plus de plaisir. » Elle avait hâte de partir, à présent, parce que ces derniers moments avaient quelque chose d'insupportable.

— Qu'est-ce que tu vas faire avec ce Gallois ? demanda-t-elle.

Gallois avait commandé une affiche à Henri, Henri l'avait faite et, à présent, Gallois n'en voulait plus.

— Je ne sais pas, dit Henri.

Il s'était blotti sous les couvertures, on ne voyait plus que ses cheveux et un bout d'oreille. Il dit d'une voix lente et molle :

— Je voudrais dormir pendant huit jours.

— Adieu, mon chéri, dit Lulu.

— Adieu.

Elle se pencha sur lui, écarta un peu les couvertures et l'embrassa sur le front. Elle demeura longtemps sur le palier, sans se décider à fermer la porte de l'appartement. Au bout d'un moment, elle détourna les yeux et tira violemment sur la poignée. Elle entendit un bruit sec et crut qu'elle allait s'évanouir : elle avait connu une impression semblable quand on avait jeté la première pelletée de terre sur le cercueil de son père.

« Henri n'a pas été très gentil. Il aurait pu se lever pour m'accompagner jusqu'à la porte. Il me semble que j'aurais eu moins de chagrin si c'était lui qui l'avait refermée. »

IV

— Elle a fait ça! dit Rirette le regard au loin, elle a fait ça!

C'était le soir. Vers six heures, Pierre avait téléphoné à Rirette, et elle était venue le rejoindre au Dôme.

— Mais vous, dit Pierre, est-ce que vous ne deviez pas la voir ce matin vers neuf heures ?

— Je l'ai vue.

— Elle n'avait pas l'air drôle ?

— Mais non, dit Rirette, je n'ai rien remarqué. Elle était un peu fatiguée, mais elle m'a dit qu'elle avait mal dormi après votre départ parce qu'elle était très excitée à l'idée de voir Nice et parce qu'elle avait un peu peur du garçon algérien... Tenez, elle m'a même demandé si je croyais que vous aviez pris des premières dans le train, elle a dit que c'était le rêve de sa vie de voyager en première. Non, décida Rirette, je suis sûre qu'elle n'avait rien de semblable en tête ; du moins pas tant que j'étais là. Je suis restée deux heures avec elle, et, pour ces choses-là, je suis assez observatrice, ça m'étonnerait si quelque chose m'avait échappé. Vous me direz qu'elle est très dissimulée, mais je la connais depuis quatre ans et je l'ai vue dans

des masses de circonstances, je possède ma Lulu sur le
bout du doigt.

— Alors ce sont les Texier qui l'auront décidée.
C'est drôle... — Il rêva quelques instants et reprit soudain : Je me demande qui leur a donné l'adresse de
Lulu. C'est moi qui ai choisi l'hôtel et elle n'en avait
jamais entendu parler auparavant.

Il jouait distraitement avec la lettre de Lulu, et
Rirette était agacée parce qu'elle aurait voulu la lire
et qu'il ne le lui proposait pas.

— Quand l'avez-vous reçue ? demanda-t-elle enfin.

— La lettre ?... Il la lui tendit avec simplicité.

— Tenez, vous pouvez lire. On a dû la poser chez la
concierge vers une heure.

C'était une mince feuille violette, comme on en
vend, dans les bureaux de tabac :

« Mon grand chéri,

« Les Texier sont venus (je ne sais pas qui leur a
donné l'adresse), et je vais te faire beaucoup de peine.
mais je ne pars pas, mon amour, mon Pierre chéri ;
je reste avec Henri parce qu'il est trop malheureux. Ils
ont été le voir ce matin, il ne voulait pas ouvrir, et
Mme Texier a dit qu'il n'avait plus figure humaine.
Ils ont été très gentils et ils ont compris mes raisons,
elle dit que tous les torts sont de son côté, que c'est
un ours mais qu'il n'est pas mauvais dans le fond.
Elle dit qu'il lui a fallu ça pour qu'il comprenne
combien il tenait à moi. Je ne sais pas qui leur a
donné mon adresse, ils ne l'ont pas dit, ils ont dû me
voir par hasard quand je suis sortie de l'hôtel ce
matin avec Rirette. Mme Texier m'a dit qu'elle savait
bien qu'elle me demandait un énorme sacrifice mais
qu'elle me connaissait assez pour savoir que je ne m'y

déroberai pas. Je regrette bien fort notre beau voyage à
Nice, mon amour, mais j'ai pensé que tu serais le
moins malheureux parce que tu m'as toujours. Je suis
à toi de tout mon cœur et de tout mon corps, et nous
nous verrons aussi souvent que par le passé. Mais
Henri se tuerait s'il ne m'avait plus, je lui suis indis-
pensable ; je t'assure que ça ne m'amuse pas de me
sentir une pareille responsabilité. J'espère que tu ne
feras pas ta vilaine petite gueule qui me fait si peur,
tu ne voudrais pas que j'aie des remords, dis. Je
rentre chez Henri tout à l'heure, je suis un peu révul-
sée quand je pense que je vais le revoir dans cet état
mais j'aurai le courage de poser mes conditions.
D'abord je veux plus de liberté parce que je t'aime
et je veux qu'il laisse Robert tranquille, et qu'il ne
dise plus jamais de mal de maman. Mon chéri, je
suis bien triste, je voudrais que tu sois là, j'ai envie de
toi, je me serre contre toi et je sens tes caresses par
tout mon corps. Je serai demain à cinq heures au
Dôme. — Lulu. »

— Mon pauvre Pierre !
Rirette lui avait pris la main.
— Je vous dirai, dit Pierre, que c'est pour elle surtout que j'ai des regrets ! Elle avait besoin d'air et de
soleil. Mais puisqu'elle en a décidé ainsi... Ma mère
me faisait des scènes épouvantables, reprit-il. La villa
est à elle, elle ne voulait pas que j'y amène une
femme.
— Ah ? dit Rirette d'une voix entrecoupée. Ah ?
C'est très bien alors, alors tout le monde est content !
Elle laissa retomber la main de Pierre : elle se sentait, sans savoir pourquoi, envahie par un amer regret.

L'enfance d'un chef

« Je suis adorable dans mon petit costume d'ange. »
Mᵐᵉ Portier avait dit à maman : « Votre petit garçon
est gentil à croquer. Il est adorable dans son petit
costume d'ange. » M. Bouffardier attira Lucien entre
ses genoux et lui caressa les bras : « C'est une vraie
petite fille, dit-il en souriant. Comment t'appelles-tu ?
Jacqueline, Lucienne, Margot ? » Lucien devint tout
rouge et dit : « Je m'appelle Lucien. » Il n'était plus
tout à fait sûr de ne pas être une petite fille : beaucoup de personnes l'avaient embrassé en l'appelant
mademoiselle, tout le monde trouvait qu'il était si
charmant avec ses ailes de gaze, sa longue robe bleue,
ses petits bras nus et ses boucles blondes ; il avait peur
que les gens ne décident tout d'un coup qu'il n'était
plus un petit garçon ; il aurait beau protester, personne
ne l'écouterait, on ne lui permettrait plus de quitter
sa robe sauf pour dormir, et le matin en se réveillant
il la trouverait au pied de son lit et quand il voudrait
faire pipi, au cours de la journée, il faudrait qu'il la
relève, comme Nénette et qu'il s'asseye sur ses talons.
Tout le monde lui dirait : ma jolie petite chérie ;
peut-être que ça y est déjà, que je *suis* une petite fille ;
il se sentait si doux en dedans, que c'en était un petit

peu écœurant, et sa voix sortait toute flûtée de ses
lèvres, et il offrit des fleurs à tout le monde avec des
gestes arrondis ; il avait envie de s'embrasser la saignée du bras. Il pensa : ça n'est pas pour de vrai. Il
aimait bien quand ça n'était pas pour de vrai mais il
s'était amusé davantage le jour du Mardi gras : on
l'avait costumé en Pierrot, il avait couru et sauté en
criant, avec Riri, et ils s'étaient cachés sous les tables.
Sa maman lui donna un coup léger de son face-à-
main. « Je suis fière de mon petit garçon. » Elle
était imposante et belle, c'était la plus grasse et la
plus grande de toutes ces dames. Quand il passa
devant le long buffet couvert d'une nappe blanche,
son papa qui buvait une coupe de champagne le souleva
de terre en lui disant : « Bonhomme! » Lucien avait
envie de pleurer et de dire : « Na! » Il demanda de
l'orangeade parce qu'elle était glacée et qu'on lui
avait défendu d'en boire. Mais on lui en versa deux
doigts dans un tout petit verre. Elle avait un goût
poisseux et n'était pas du tout si glacée que ça :
Lucien se mit à penser aux orangeades à l'huile de
ricin qu'il avalait quand il était si malade. Il éclata
en sanglots et trouva bien consolant d'être assis entre
papa et maman dans l'automobile. Maman serrait
Lucien contre elle, elle était chaude et parfumée, toute
en soie. De temps à autre, l'intérieur de l'auto devenait blanc comme de la craie, Lucien clignait des
yeux, les violettes que maman portait à son corsage
sortaient de l'ombre et Lucien respirait tout à coup
leur odeur. Il sanglotait encore un peu mais il se sentait moite et chatouillé, à peine un peu poisseux,
comme l'orangeade ; il aurait aimé barboter dans sa
petite baignoire et que maman le lavât avec l'éponge
de caoutchouc. On lui permit de se coucher dans la

chambre de papa et de maman, comme lorsqu'il était
bébé ; il rit et fit grincer les ressorts de son petit lit,
et papa dit : « Cet enfant est surexcité. » Il but un
peu d'eau de fleurs d'oranger et vit papa en bras de
chemise.

Le lendemain Lucien était sûr d'avoir oublié
quelque chose. Il se rappelait très bien le rêve qu'il
avait fait : papa et maman portaient des robes d'anges,
Lucien était assis tout nu sur son pot, il jouait du
tambour, papa et maman voletaient autour de lui ;
c'était un cauchemar. Mais, avant le rêve, il y avait eu
quelque chose, Lucien avait dû se réveiller. Quand il
essayait de se rappeler, il voyait un long tunnel noir
éclairé par une petite lampe bleue toute pareille à la
veilleuse qu'on allumait le soir, dans la chambre de
ses parents. Tout au fond de cette nuit sombre et
bleue quelque chose s'était passé — quelque chose de
blanc. Il s'assit par terre aux pieds de maman et prit
son tambour. Maman lui dit : « Pourquoi me fais-tu
ces yeux-là, mon bijou ? » Il baissa les yeux et tapa
sur son tambour en criant : « Boum, boum, tararaboum. »
Mais quand elle eut tourné la tête il se mit à la regarder
minutieusement, comme s'il la voyait pour la première
fois. La robe bleue avec la rose en étoffe, il la reconnaissait bien, le visage aussi. Pourtant ça n'était plus
pareil. Tout à coup il crut que ça y était ; s'il y
pensait encore un tout petit peu, il allait retrouver
ce qu'il cherchait. Le tunnel s'éclaira d'un pâle jour
gris, et on voyait remuer quelque chose. Lucien
eut peur et poussa un cri : le tunnel disparut. « Qu'est-ce
que tu as, mon petit chéri ? » dit maman. Elle s'était
agenouillée près de lui et avait l'air inquiet. « Je
m'amuse », dit Lucien. Maman sentait bon, mais il
avait peur qu'elle ne le touchât : elle lui paraissait

drôle, papa aussi, du reste. Il décida qu'il n'irait plus
jamais dormir dans leur chambre.

Les jours suivants, maman ne s'aperçut de rien.
Lucien était tout le temps dans ses jupes, comme à
l'ordinaire, et il bavardait avec elle en vrai petit
homme. Il lui demanda de lui raconter *Le Petit Chaperon Rouge*, et maman le prit sur ses genoux. Elle
lui parla du loup et de la grand-mère du Chaperon
Rouge, un doigt levé, souriante et grave. Lucien la
regardait, il lui disait : « Et alors ? » et quelquefois,
il lui touchait les frisons qu'elle avait dans le cou ;
mais il ne l'écoutait pas, il se demandait si c'était bien
sa vraie maman. Quand elle eut fini son histoire, il
lui dit : « Maman, raconte-moi quand tu étais petite
fille. » Et maman raconta : mais peut-être qu'elle
mentait. Peut-être qu'elle était autrefois un petit
garçon et qu'on lui avait mis des robes — comme à
Lucien, l'autre soir — et qu'elle avait continué à en
porter pour faire semblant d'être une fille. Il tâta
gentiment ses beaux bras qui, sous la soie, étaient
doux comme du beurre. Qu'est-ce qui arriverait si
on ôtait la robe de maman, et si elle mettait les pantalons de papa ? Peut-être qu'il lui pousserait tout de
suite une moustache noire. Il serra les bras de maman
de toutes ses forces ; il avait l'impression qu'elle
allait se transformer sous ses yeux en une bête horrible
— ou peut-être devenir une femme à barbe comme
celle de la foire. Elle rit en ouvrant la bouche toute
grande, et Lucien vit sa langue rose et le fond de sa
gorge : c'était sale, il avait envie de cracher dedans.
« Hahaha! disait maman, comme tu me serres, mon
petit homme! Serre-moi bien fort. Aussi fort que tu
m'aimes. » Lucien prit une des belles mains aux
bagues d'argent et la couvrit de baisers. Mais le len-

demain, comme elle était assise près de lui et qu'elle
lui tenait les mains pendant qu'il était sur son pot et
qu'elle lui disait : « Pousse, Lucien, pousse, mon
petit bijou, je t'en supplie », il s'arrêta soudain de
pousser et lui demanda, un peu essoufflé : « Mais tu
es bien ma vraie maman, au moins ? » Elle lui dit :
« Petit sot » et lui demanda si ça n'allait pas bientôt
venir. A partir de ce jour Lucien fut persuadé qu'elle
jouait la comédie et il ne lui dit plus jamais qu'il
l'épouserait quand il serait grand. Mais il ne savait
pas trop quelle était cette comédie : il se pouvait que
des voleurs, la nuit du tunnel, soient venus prendre
papa et maman dans leur lit et qu'ils aient mis ces
deux-là à leur place. Ou bien alors c'étaient bien papa
et maman pour de vrai, mais dans la journée ils jouaient
un rôle et, la nuit, ils étaient tout différents. Lucien
fut à peine surpris, la nuit de Noël, quand il se réveilla
en sursaut et qu'il les vit mettre les jouets dans la
cheminée. Le lendemain, ils parlèrent du père Noël,
et Lucien fit semblant de les croire : il pensait que
c'était dans leur rôle ; ils avaient dû voler les jouets.
Au mois de février, il eut la scarlatine et s'amusa
beaucoup.

Quand il fut guéri, il prit l'habitude de jouer à
l'orphelin. Il s'asseyait au milieu de la pelouse, sous
le marronnier, remplissait ses mains de terre et pensait : « Je serais un orphelin, je m'appellerais Louis.
Je n'aurais pas mangé depuis six jours. » La bonne,
Germaine, l'appela pour le déjeuner, et, à table, il
continua de jouer ; papa et maman ne s'apercevaient
de rien. Il avait été recueilli par des voleurs qui voulaient faire de lui un pickpocket. Quand il aurait
déjeuné, il s'enfuirait et il irait les dénoncer. Il mangea
et but très peu ; il avait lu dans *L'Auberge de l'Ange*

Gardien que le premier repas d'un homme affamé
devait être léger. C'était amusant parce que tout le
monde jouait. Papa et maman jouaient à être papa et
maman ; maman jouait à se tourmenter parce que
son petit bijou mangeait si peu, papa jouait à lire le
journal et à agiter, de temps en temps, son doigt
devant la figure de Lucien en disant : « Badaboum,
bonhomme ! » Et Lucien jouait aussi, mais il finit
par ne plus très bien savoir à quoi. A l'orphelin ? Ou
à être Lucien ? Il regarda la carafe. Il y avait une
petite lumière rouge qui dansait au fond de l'eau et
on aurait juré que la main de papa était dans la carafe,
énorme et lumineuse, avec de petits poils noirs sur les
doigts. Lucien eut soudain l'impression que la carafe
aussi jouait à être une carafe. Finalement il toucha
à peine aux plats et il eut si faim, l'après-midi, qu'il
dut voler une douzaine de prunes et faillit avoir
une indigestion. Il pensa qu'il en avait assez de jouer
à être Lucien.

Il ne pouvait pourtant pas s'en empêcher et il lui
semblait tout le temps qu'il jouait. Il aurait voulu
être comme M. Bouffardier qui était si laid et si sérieux. M. Bouffardier, quand il venait dîner, se penchait sur la main de maman en disant : « Mes hommages,
chère madame » et Lucien se plantait au milieu du
salon et le regardait avec admiration. Mais rien de ce
qui arrivait à Lucien n'était sérieux. Quand il tombait
et se faisait une bosse, il s'arrêtait parfois de pleurer
et se demandait : « Est-ce que j'ai vraiment bobo ? »
Alors, il se sentait encore plus triste, et ses pleurs re-
prenaient de plus belle. Lorsqu'il embrassa la main de
maman en lui disant : « Mes hommages, chère madame »,
maman lui ébouriffa les cheveux en lui disant : « Ce
n'est pas bien, ma petite souris, tu ne dois pas te mo-

quer des grandes personnes », et il se sentit tout découragé. Il ne parvenait à se trouver quelque importance
que le premier et le troisième vendredi du mois. Ces
jours-là, beaucoup de dames venaient voir maman et
il y en avait toujours deux ou trois qui étaient en deuil ;
Lucien aimait les dames en deuil surtout quand
elles avaient de grands pieds. D'une manière générale,
il se plaisait avec les grandes personnes parce qu'elles
étaient si respectables — et jamais on n'a envie de
penser qu'elles s'oublient au lit à toutes ces choses
que font les petits garçons ; parce qu'elles ont tellement d'habits sur le corps et si sombres, on ne peut
pas s'imaginer ce qu'il y a dessous. Quand elles sont
ensemble, elles mangent de tout et elles parlent, et
leurs rires même sont graves, c'est beau comme à la
messe. Elles traitaient Lucien comme un personnage.
Mᵐᵉ Couffin prenait Lucien sur ses genoux et lui
tâtait les mollets en déclarant : « C'est le plus joli
petit mignon que j'aie vu. » Alors, elle l'interrogeait
sur ses goûts, elle l'embrassait et elle lui demandait
ce qu'il ferait plus tard. Et tantôt il répondait qu'il
serait un grand général comme Jeanne d'Arc et qu'il
reprendrait l'Alsace-Lorraine aux Allemands, tantôt
qu'il voulait être missionnaire. Tout le temps qu'il
parlait, il croyait ce qu'il disait. Mᵐᵉ Besse était une
grande et forte femme avec une petite moustache.
Elle renversait Lucien, elle le chatouillait en disant :
« Ma petite poupée. » Lucien était ravi, il riait d'aise
et se tortillait sous les chatouilles ; il pensait qu'il
était une petite poupée, une charmante petite poupée
pour grandes personnes et il aurait aimé que
Mᵐᵉ Besse le déshabille, et le lave, et le mette au dodo
dans un tout petit berceau comme un poupon de caoutchouc. Et parfois Mᵐᵉ Besse disait : « Est-ce qu'elle

parle, ma poupée ? » et elle lui pressait tout à coup
l'estomac. Alors, Lucien faisait semblant d'être une
poupée mécanique, il disait : « Couic » d'une voix
étranglée, et ils riaient tous les deux.

M. le curé, qui venait déjeuner à la maison tous les
samedis, lui demanda s'il aimait bien sa maman.
Lucien adorait sa jolie maman et son papa qui était si
fort et si bon. Il répondit : « Oui » en regardant M. le
curé dans les yeux, d'un petit air crâne, qui fit rire
tout le monde. M. le curé avait une tête comme une
framboise, rouge et grumeleuse, avec un poil sur
chaque grumeau. Il dit à Lucien que c'était bien et
qu'il fallait toujours bien aimer sa maman ; et puis
il demanda qui Lucien préférait de sa maman ou du
Bon Dieu. Lucien ne put deviner sur-le-champ la
réponse et il se mit à secouer ses boucles et à donner
des coups de pied dans le vide en criant : « Baoum,
tararaboum », et les grandes personnes reprirent leur
conversation comme s'il n'existait pas. Il courut au jardin et se glissa au-dehors par la porte de derrière,
il avait emporté sa petite canne de jonc. Naturellement, Lucien ne devait jamais sortir du jardin, c'était
défendu ; d'ordinaire, Lucien était un petit garçon
très sage mais ce jour-là il avait envie de désobéir.
Il regarda le gros buisson d'orties avec défiance ;
on voyait bien que c'était un endroit défendu ; le
mur était noirâtre, les orties étaient de méchantes
plantes nuisibles, un chien avait fait sa commission
juste aux pieds des orties ; ça sentait la plante, la
crotte de chien et le vin chaud. Lucien fouetta les
orties de sa canne en criant : « J'aime ma maman, j'aime
ma maman. » Il voyait les orties brisées, qui pendaient
minablement en jutant blanc, leurs cous blanchâtres
et duveteux s'étaient effilochés en se cassant, il enten-

dait une petite voix solitaire qui criait : « J'aime ma maman, j'aime ma maman » ; il y avait une grosse mouche bleue qui bourdonnait : c'était une mouche à caca, Lucien en avait peur — et une odeur de défendu, puissante, putride et tranquille lui emplissait les narines. Il répéta : « J'aime ma maman », mais sa voix lui parut étrange, il eut une peur épouvantable et s'enfuit d'une traite jusqu'au salon. De ce jour, Lucien comprit qu'il n'aimait pas sa maman. Il ne se sentait pas coupable, mais il redoubla de gentillesse parce qu'il pensait qu'on devait faire semblant toute sa vie d'aimer ses parents, sinon on était un méchant petit garçon. Mme Fleurier trouvait Lucien de plus en plus tendre, et justement il y eut la guerre cet été-là, et papa partit se battre, et maman était heureuse, dans son chagrin, que Lucien fût tellement attentionné ; l'après-midi, quand elle reposait au jardin dans son transatlantique parce qu'elle avait tant de peine, il courait lui chercher un coussin et le lui glissait sous la tête ou bien il lui mettait une couverture sur les jambes, et elle se défendait en riant : « Mais j'aurai trop chaud, mon petit homme, que tu es donc gentil ! » Il l'embrassait fougueusement, tout hors d'haleine, en lui disant : « Ma maman à moi ! » et il allait s'asseoir au pied du marronnier.

Il dit « marronnier ! » et il attendit. Mais rien ne se produisit. Maman était étendue sous la véranda, toute petite au fond d'un lourd silence étouffant. Ça sentait l'herbe chaude, on aurait pu jouer à être un explorateur dans la forêt vierge ; mais Lucien n'avait plus de goût à jouer. L'air tremblait au-dessus de la crête rouge du mur, et le soleil faisait des taches brûlantes sur la terre et sur les mains de Lucien. « Marronnier ! » C'était choquant : quand Lucien disait à

maman : « Ma jolie maman à moi », maman souriait
et quand il avait appelé Germaine : arquebuse, Germaine avait pleuré et s'était plainte à maman. Mais
quand on disait : marronnier, il n'arrivait rien du tout.
Il marmotta entre ses dents : « Sale arbre » et il n'était
pas rassuré, mais, comme l'arbre ne bougeait pas, il
répéta plus fort : « Sale arbre, sale marronnier! attends
voir, attends un peu! » et il lui donna des coups de
pieds. Mais l'arbre resta tranquille, tranquille —
comme s'il était en bois. Le soir à dîner, Lucien dit
à maman : « Tu sais, maman, les arbres, eh bien, ils
sont en bois » en faisant une petite mine étonnée que
maman aimait bien. Mais Mᵐᵉ Fleurier n'avait pas
reçu de lettre au courrier de midi. Elle dit sèchement :
« Ne fais pas l'imbécile. » Lucien devint un petit brise-
tout. Il cassait tous ses jouets pour voir comment ils
étaient faits, il taillada les bras d'un fauteuil avec un
vieux rasoir de papa, il fit tomber la tanagra du
salon pour savoir si elle était creuse et s'il y avait
quelque chose dedans ; quand il se promenait il déca-
pitait les plantes et les fleurs avec sa canne : chaque
fois il était profondément déçu, les choses c'était bête,
ça n'existait pas pour de vrai. Maman lui demandait
souvent en lui montrant des fleurs ou des arbres : « Comment ça s'appelle, ça ? » Mais Lucien secouait la tête
et répondait : « Ça c'est rien du tout, ça n'a pas de nom. »
Tout cela ne valait pas la peine qu'on y fît attention.
Il était beaucoup plus amusant d'arracher les pattes
d'une sauterelle parce qu'elle vous vibrait entre les
doigts comme une toupie et, quand on lui pressait
sur le ventre, il en sortait une crème jaune. Mais tout
de même les sauterelles ne criaient pas. Lucien aurait
bien voulu faire souffrir une de ces bêtes qui crient
quand elles ont mal, une poule, par exemple, mais

il n'osait pas les approcher. M. Fleurier revint au mois
de mars parce que c'était un chef et le général lui avait
dit qu'il serait plus utile à la tête de son usine que dans
les tranchées comme n'importe qui. Il trouva Lucien
très changé et il dit qu'il ne reconnaissait plus son petit
bonhomme. Lucien était tombé dans une sorte de somnolence ; il répondait mollement, il avait toujours
un doigt dans le nez ou bien il soufflait sur ses doigts
et se mettait à les sentir, et il fallait le supplier pour
qu'il fît sa commission. A présent, il allait tout seul au
petit endroit ; il fallait simplement qu'il laissât sa
porte entrebâillée et, de temps à autre, maman ou
Germaine venaient l'encourager. Il restait des heures
entières sur le trône et, une fois, il s'ennuya tellement
qu'il s'endormit. Le médecin dit qu'il grandissait trop
vite et prescrivit un reconstituant. Maman voulut
enseigner à Lucien de nouveaux jeux mais Lucien
trouvait qu'il jouait bien assez comme cela et que
finalement tous les jeux se valaient, c'était toujours
la même chose. Il boudait souvent : c'était aussi un jeu
mais plutôt amusant. On faisait de la peine à maman,
on se sentait tout triste et rancuneux, on devenait un
peu sourd avec la bouche cousue et les yeux brumeux,
au-dedans il faisait tiède et douillet comme quand on
est sous les draps le soir et qu'on sent sa propre
odeur ; on était seul au monde. Lucien ne pouvait plus
sortir de ses bouderies, et, quand papa prenait sa
voix moqueuse pour lui dire : « Tu fais du boudin »,
Lucien se roulait par terre en sanglotant. Il allait encore assez souvent au salon quand sa maman recevait,
mais, depuis qu'on lui avait coupé ses boucles, les
grandes personnes s'occupaient moins de lui ou alors
c'était pour lui faire la morale et lui raconter des histoires instructives. Quand son cousin Riri vint à Férolles

à cause des bombardements avec la tante Berthe, sa
jolie maman, Lucien fut très content et il essaya de
lui apprendre à jouer. Mais Riri était trop occupé à
détester les Boches et puis il sentait encore le bébé
quoiqu'il eût six mois de plus que Lucien ; il avait
des taches de son sur la figure et il ne comprenait pas
toujours très bien. Ce fut à lui pourtant que Lucien
confia qu'il était somnambule. Certaines personnes
se lèvent la nuit et parlent, et se promènent en dormant : Lucien l'avait lu dans *Le Petit Explorateur*
et il avait pensé qu'il devait y avoir un vrai Lucien
qui marchait, parlait et aimait ses parents pour de
vrai pendant la nuit ; seulement, le matin venu, il
oubliait tout et il recommençait à faire semblant
d'être Lucien. Au début, Lucien ne croyait qu'à moitié
à cette histoire mais un jour ils allèrent près des orties,
et Riri montra son pipi à Lucien et lui dit : « Regarde
comme il est grand, je suis un grand garçon. Quand il
sera tout à fait grand, je serai un homme et j'irai
me battre contre les Boches, dans les tranchées. »
Lucien trouva Riri tout drôle et il eut une crise de fou
rire. « Fais voir le tien », dit Riri. Ils comparèrent
et celui de Lucien était le plus petit, mais Riri trichait :
il tirait sur le sien pour l'allonger. « C'est moi qui ai
le plus grand, dit Riri. — Oui, mais moi je suis somnambule », dit Lucien tranquillement. Riri ne savait
pas ce que c'était qu'un somnambule, et Lucien dut
le lui expliquer. Quand il eut fini il pensa : « C'est donc
vrai que je suis somnambule » et il eut une terrible
envie de pleurer. Comme ils couchaient dans le même
lit, ils convinrent que Riri resterait éveillé la nuit
suivante, et qu'il observerait bien Lucien quand Lucien
se lèverait, et qu'il retiendrait tout ce que Lucien dirait :
« Tu me réveilleras au bout d'un moment, dit Lucien,

pour voir si je me rappellerai tout ce que j'ai fait. »
Le soir, Lucien, qui ne pouvait s'endormir, entendit
des ronflements aigus et dut réveiller Riri. « Zanzi-
bar! » dit Riri. « Réveille-toi, Riri, tu dois me regarder
quand je me lèverai. — Laisse-moi dormir », dit
Riri d'une voix pâteuse. Lucien le secoua et le pinça
sous sa chemise, et Riri se mit à gigoter et il demeura
éveillé, les yeux ouverts, avec un drôle de sourire.
Lucien pensa à une bicyclette que son papa devait lui
acheter, il entendit le sifflement d'une locomotive,
et puis, tout d'un coup, la bonne entra et tira les rideaux, il était huit heures du matin. Lucien ne sut
jamais ce qu'il avait fait pendant la nuit. Le Bon Dieu
le savait, lui, parce que le Bon Dieu voyait tout.
Lucien s'agenouillait sur le prie-Dieu et s'efforçait
d'être sage pour que sa maman le félicite à la sortie
de la messe, mais il détestait le Bon Dieu : le Bon Dieu
était plus renseigné sur Lucien que Lucien lui-même.
Il savait que Lucien n'aimait pas sa maman ni son
papa, et qu'il faisait semblant d'être sage, et qu'il
touchait son pipi le soir dans son lit. Heureusement,
le Bon Dieu ne pouvait pas tout se rappeler, parce
qu'il y avait tant de petits garçons au monde. Quand
Lucien se frappait le front en disant : « Picotin »,
le Bon Dieu oubliait tout de suite ce qu'il avait vu.
Lucien entreprit aussi de persuader au Bon Dieu
qu'il aimait sa maman. De temps à autre, il disait
dans sa tête : « Comme j'aime ma chère maman! »
Il y avait toujours un petit coin en lui qui n'en était
pas très persuadé, et le Bon Dieu naturellement voyait
ce petit coin. Dans ce cas-là, c'était Lui qui gagnait.
Mais quelquefois on pouvait s'absorber complètement
dans ce qu'on disait. On prononçait très vite « oh!
que j'aime ma maman », en articulant bien, et on

revoyait le visage de maman, et on se sentait tout
attendri, on pensait vaguement, vaguement que le
Bon Dieu vous regardait et puis après on n'y pensait
même plus, on était tout crémeux de tendresse, et
puis il y avait les mots qui dansaient dans vos
oreilles : maman, *maman*, MAMAN. Cela ne durait
qu'un instant, bien entendu, c'était comme lorsque
Lucien essayait de faire tenir une chaise en équilibre
sur deux pieds. Mais si, juste à ce moment-là, on prononçait « Pacota », le Bon Dieu était refait : il n'avait
vu que du Bien, et ce qu'il avait vu se gravait pour toujours dans Sa mémoire. Mais Lucien se lassa de ce
jeu parce qu'il fallait faire de trop gros efforts et puis
finalement on ne savait jamais si le Bon Dieu avait
gagné ou perdu. Lucien ne s'occupa plus de Dieu.
Quand il fit sa première communion, M. le curé dit
que c'était le petit garçon le plus sage et le plus pieux
de tout le catéchisme. Lucien comprenait vite et il
avait une bonne mémoire, mais sa tête était remplie
de brouillards.

Le dimanche était une éclaircie. Les brouillards
se déchiraient quand Lucien se promenait avec papa
sur la route de Paris. Il avait son beau petit costume
marin, et on rencontrait des ouvriers de papa qui
saluaient papa et Lucien. Papa s'approchait d'eux,
et ils disaient : « Bonjour, monsieur Fleurier », et aussi
« Bonjour, mon petit monsieur ». Lucien aimait bien
les ouvriers parce que c'étaient des grandes personnes
mais pas comme les autres. D'abord, ils l'appelaient :
monsieur. Et puis ils portaient des casquettes et ils
avaient de grosses mains aux ongles ras qui avaient
toujours l'air souffrantes et gercées. Ils étaient res-
ponsables et respectueux. Il n'aurait pas fallu tirer
la moustache du père Bouligaud : papa aurait grondé

Lucien. Mais le père Bouligaud, pour parler à papa
ôtait sa casquette, et papa et Lucien gardaient leurs
chapeaux sur leurs têtes et papa parlait d'une grosse
voix souriante et bourrue : « Eh bien, père Bouligaud, on attend son fiston, quand est-ce qu'il aura
sa permission ? — A la fin du mois, monsieur Fleurier, merci, monsieur Fleurier. » Le père Bouligaud
avait l'air tout heureux et il ne se serait pas permis
de donner une tape sur le derrière de Lucien en l'appelant Crapaud, comme M. Bouffardier. Lucien détestait M. Bouffardier, parce qu'il était si laid.
Mais quand il voyait le père Bouligaud, il se sentait
attendri et il avait envie d'être bon. Une fois, au retour
de la promenade, papa prit Lucien sur ses genoux et
lui expliqua ce que c'était qu'un chef. Lucien voulut
savoir comment papa parlait aux ouvriers quand il
était à l'usine, et papa lui montra comment il fallait
s'y prendre, et sa voix était toute changée. « Est-ce
que je deviendrai aussi un chef ? demanda Lucien.
— Mais bien sûr, mon bonhomme, c'est pour cela
que je t'ai fait. — Et à qui est-ce que je commanderai ?
— Eh bien, quand je serai mort, tu seras le patron
de mon usine et tu commanderas à mes ouvriers. —
Mais ils seront morts aussi. — Eh bien, tu commanderas
à leurs enfants et il faudra que tu saches te faire obéir
et te faire aimer. — Et comment est-ce que je me ferai
aimer, papa ? » Papa réfléchit un peu et dit : « D'abord,
il faudra que tu les connaisses tous par leur nom. »
Lucien fut profondément remué, et, quand le fils
du contremaître Morel vint à la maison annoncer
que son père avait eu deux doigts coupés, Lucien
lui parla sérieusement et doucement, en le regardant
tout droit dans les yeux et en l'appelant Morel.
Maman dit qu'elle était fière d'avoir un petit garçon

si bon et si sensible. Après cela, ce fut l'armistice, papa lisait le journal à haute voix tous les soirs, tout le monde parlait des Russes, et du gouvernement allemand, et des réparations, et papa montrait à Lucien des pays sur une carte : Lucien passa l'année la plus ennuyeuse de sa vie, il aimait encore mieux quand c'était la guerre ; à présent tout le monde avait l'air désœuvré, et les lumières qu'on voyait dans les yeux de Mme Coffin s'étaient éteintes. En octobre 1919, Mme Fleurier lui fit suivre les cours de l'école Saint-Joseph en qualité d'externe.

Il faisait chaud dans le cabinet de l'abbé Gerromet. Lucien était debout près du fauteuil de M. l'abbé, il avait mis ses mains derrière son dos et s'ennuyait ferme. « Est-ce que maman ne va pas bientôt s'en aller ? » Mais Mme Fleurier ne songeait pas encore à partir. Elle était assise sur l'extrême bord d'un fauteuil vert et tendait son ample poitrine vers M. l'abbé ; elle parlait très vite et elle avait sa voix musicale, comme quand elle était en colère et qu'elle ne voulait pas le montrer. M. l'abbé parlait lentement, et les mots avaient l'air beaucoup plus longs dans sa bouche que dans celle des autres personnes, on aurait dit qu'il les suçait un peu comme des sucres d'orge, avant de les laisser passer. Il expliquait à maman que Lucien était un bon petit garçon poli et travailleur mais si terriblement indifférent à tout, et Mme Fleurier dit qu'elle était très déçue parce qu'elle avait pensé qu'un changement de milieu lui ferait du bien. Elle demanda s'il jouait, au moins, pendant les récréations. « Hélas ! madame, répondit le bon père, les jeux même ne semblent pas l'intéresser beaucoup. Il est quelquefois turbulent et même violent mais il se lasse vite ; je crois qu'il manque de persévérance. » Lucien pensa : « C'est de moi qu'ils parlent. » C'étaient deux grandes personnes et il faisait le sujet de leur conversation, tout comme la guerre, le gouvernement allemand ou M. Poincaré ; elles avaient l'air grave et elles raisonnaient sur son cas. Mais cette pensée ne lui fit même pas plaisir. Ses oreilles étaient pleines des petits mots chantants de sa mère, des mots sucés et collants de M. l'abbé, il avait envie de pleurer. Heureusement la cloche sonna, et on lui rendit sa liberté. Mais pendant la classe de géographie, il resta très énervé et il demanda à l'abbé Jacquin la permission d'aller au petit coin parce qu'il avait besoin de bouger.

Tout d'abord, la fraîcheur, la solitude et la bonne odeur du petit coin le calmèrent. Il s'était accroupi par acquit de conscience mais il n'avait pas envie ; il leva la tête et se mit à lire les inscriptions dont la porte était couverte. On avait écrit au crayon bleu : « Barataud est une punaise. » Lucien sourit : c'était vrai, Barataud était une punaise, il était minuscule, et on disait qu'il grandirait un peu mais presque pas, parce que son papa était tout petit, presque un nain. Lucien se demanda si Barataud avait lu cette inscription et il pensa que non : autrement elle serait effacée. Barataud aurait sucé son doigt et aurait frotté les lettres jusqu'à ce qu'elles disparaissent. Lucien se réjouit un peu en imaginant que Barataud irait au petit coin à quatre heures et qu'il baisserait sa petite culotte de velours et qu'il lirait : « Barataud est une punaise. » Peut-être n'avait-il jamais pensé qu'il était si petit. Lucien se promit de l'appeler punaise, dès le lendemain matin à la récréation. Il se releva et lut sur le mur de droite une autre inscription tracée de la même écriture bleue : « Lucien Fleurié est une grande asperche. » Il l'effaça soigneusement et revint en classe.

« C'est vrai, pensa-t-il en regardant ses camarades, ils sont tous plus petits que moi. » Et il se sentit mal à l'aise. « Grande asperche. » Il était assis à son petit bureau en bois des Iles. Germaine était à la cuisine, maman n'était pas encore rentrée. Il écrivit « grande asperge » sur une feuille blanche pour rétablir l'orthographe. Mais les mots lui parurent trop connus et ne lui firent plus aucun effet. Il appela: « Germaine, ma bonne Germaine! — Qu'est-ce que vous voulez encore ? demanda Germaine. — Germaine, je voudrais que vous écriviez sur ce papier : « Lucien Fleurier est une grande asperge. » — Vous êtes fou, monsieur Lucien ? » Il lui entoura le cou de ses bras. « Germaine, ma petite Germaine, soyez gentille. » Germaine se mit à rire et essuya ses doigts gras à son tablier. Pendant qu'elle écrivait, il ne la regarda pas, mais, ensuite, il emporta la feuille dans sa chambre et la contempla longuement. L'écriture de Germaine était pointue, Lucien croyait entendre une voix sèche qui lui disait à l'oreille : « Grande asperge. » Il pensa : « Je suis grand. » Il était écrasé de honte : grand comme Barataud était petit — et les autres ricanaient derrière son dos. C'était comme si on lui avait jeté un sort : jusque-là, ça lui paraissait naturel de voir ses camarades de haut en bas. Mais à présent, il lui semblait qu'on l'avait condamné tout d'un coup à être grand pour le reste de sa vie. Le soir, il demanda à son père si on pouvait rapetisser quand on le voulait de toutes ses forces. M. Fleurier dit que non : tous les Fleurier avaient été grands et forts, et Lucien grandirait encore. Lucien fut désespéré. Quand sa mère l'eut bordé, il se releva et il alla se regarder dans la glace. « Je suis grand. » Mais il avait beau se regarder, ça ne se voyait pas, il n'avait l'air ni grand ni petit. Il releva un peu sa chemise et vit ses jambes ; alors il

imagina que Costil disait à Hébrard : « Dis donc,
regarde les longues jambes de l'asperge » et ça lui
faisait tout drôle. Il faisait froid, Lucien frissonna et
quelqu'un dit : « L'asperge a la chair de poule! »
Lucien releva très haut le pantet de sa chemise, et ils
virent tous son nombril et toute sa boutique, et puis,
il courut à son lit et s'y glissa. Quand il mit la main
sous sa chemise il pensa que Costil le voyait et qu'il
disait : « Regardez donc un peu ce qu'elle fait, la
grande asperge! » Il s'agita et tourna dans son lit
en soufflant : Grande asperge! grande asperge! »
jusqu'à ce qu'il ait fait naître sous ses doigts une
petite démangeaison acidulée.

Les jours suivants, il eut envie de demander à
M. l'abbé la permission d'aller s'asseoir au fond de
la classe. C'était à cause de Boisset, de Winckelmann
et de Costil qui étaient derrière lui et qui pouvaient
regarder sa nuque. Lucien sentait sa nuque mais il
ne la voyait pas et même il l'oubliait souvent. Mais
pendant qu'il répondait de son mieux à M. l'abbé,
et qu'il récitait la tirade de Don Diègue, les autres
étaient derrière lui et regardaient sa nuque, et ils
pouvaient ricaner en pensant : « Qu'elle est maigre,
il a deux cordes dans le cou. » Lucien s'efforçait de
gonfler sa voix et d'exprimer l'humiliation de Don
Diègue. Avec sa voix, il faisait ce qu'il voulait ; mais
la nuque était toujours là, paisible et inexpressive,
comme quelqu'un qui se repose, et Basset la voyait.
Il n'osa pas changer de place, parce que le dernier
banc était réservé aux cancres, mais la nuque et les
omoplates lui démangeaient tout le temps, et il était
obligé de se gratter sans cesse. Lucien inventa un jeu
nouveau : le matin, quand il prenait son tub tout seul
dans le cabinet de toilette comme un grand, il imaginait

que quelqu'un le regardait par le trou de la serrure,
tantôt Costil, tantôt le père Bouligaud, tantôt Germaine. Alors, il se tournait de tous côtés pour qu'ils
le vissent sous toutes ses faces et parfois il tournait
son derrière vers la porte et se mettait à quatre pattes
pour qu'il fût bien bombé et bien ridicule ; M. Bouffardier s'approchait à pas de loup pour lui donner un
lavement. Un jour qu'il était au petit endroit, il
entendit des craquements ; c'était Gertrude qui frottait à l'encaustique le buffet du couloir. Son cœur
s'arrêta de battre, il ouvrit tout doucement la porte
et sortit, la culotte sur les talons, la chemise roulée
autour des reins. Il était obligé de faire de petits bonds,
pour avancer sans perdre l'équilibre. Germaine leva
sur lui un œil placide : « C'est-il que vous faites la
course en sac ? » demanda-t-elle. Il remonta rageusement son pantalon et courut se jeter sur son lit.
Mᵐᵉ Fleurier était désolée, elle disait souvent à son
mari : « Lui qui était si gracieux quand il était petit,
regarde comme il a l'air gauche ; si ça n'est pas dommage ! » M. Fleurier jetait un regard distrait sur
Lucien et répondait : « C'est l'âge ! » Lucien ne savait
que faire de son corps ; quoi qu'il entreprît, il avait
toujours l'impression que ce corps était en train d'exister de tous les côtés à la fois, sans lui demander son
avis. Lucien se complut à imaginer qu'il était invisible
puis il prit l'habitude de regarder par les trous de serrure pour se venger et pour voir comment les autres
étaient faits sans le savoir. Il vit sa mère pendant
qu'elle se lavait. Elle était assise sur le bidet, elle
avait l'air endormi et elle avait sûrement tout à fait
oublié son corps et même son visage, parce qu'elle
pensait que personne ne la voyait. L'éponge allait et
venait toute seule sur cette chair abandonnée ; elle

avait des mouvements paresseux, et on avait l'impression qu'elle allait s'arrêter en cours de route. Maman frotta une lavette avec un morceau de savon, et sa main disparut entre ses jambes. Son visage était reposé, presque triste, sûrement elle pensait à autre chose, à l'éducation de Lucien ou à M. Poincaré. Mais pendant ce temps-là, elle *était* cette grosse masse rose, ce corps volumineux qui s'affalait sur la faïence du bidet. Lucien, une autre fois, ôta ses souliers et grimpa jusqu'aux mansardes. Il vit Germaine. Elle avait une longue chemise verte qui lui tombait jusqu'aux pieds, elle se peignait devant une petite glace ronde et elle souriait mollement à son image. Lucien fut pris de fou rire et dut redescendre précipitamment. Après cela, il se faisait des sourires et même des grimaces devant la psyché du salon et, au bout d'un moment, il était pris de peurs épouvantables.

Lucien finit par s'endormir tout à fait mais personne ne s'en aperçut sauf Mme Coffin qui l'appelait son bel-au-bois dormant ; une grosse boule d'air qu'il ne pouvait ni avaler ni cracher lui tenait toujours la bouche entrouverte : c'était son *bâillement* ; quand il était seul, la boule grossissait en lui caressant doucement le palais et la langue ; sa bouche s'ouvrait toute grande, et les larmes roulaient sur ses joues : c'étaient des moments très agréables. Il ne s'amusait plus autant quand il était aux cabinets mais en revanche il aimait beaucoup éternuer, ça le réveillait et, pendant un instant, il regardait autour de lui d'un air émoustillé, et puis il s'assoupissait de nouveau. Il apprit à reconnaître les diverses sortes de sommeil : l'hiver, il s'asseyait devant la cheminée et tendait sa tête vers le feu ; quand elle était rouge et bien rissolée, elle se vidait d'un seul coup ; il appelait ça « s'endormir par la tête ». Le matin du dimanche, au contraire, il s'endormait par les pieds : il entrait dans son bain, il se baissait lentement et le sommeil montait le long de ses jambes et de ses flancs en clapotant. Au-dessus du corps endormi, tout blanc, et ballonné au fond de l'eau, et qui avait l'air d'une poule bouillie, une petite tête blonde trônait, pleine de mots savants, templum, templi, templo, séisme, iconoclastes. En classe le sommeil était blanc, troué d'éclairs : « Que vouliez-vous qu'il fît contre trois ? » Premier : Lucien Fleurier. « Qu'est-ce que le Tiers État : rien. » Premier : Lucien Fleurier; second Winckelmann. Pellereau fut premier en algèbre ; il n'avait qu'un testicule, l'autre n'était pas descendu ; il faisait payer deux sous pour voir et dix pour toucher. Lucien donna les dix sous, hésita, tendit la main et s'en alla sans toucher, mais ensuite ses regrets étaient si vifs qu'ils le tenaient parfois éveillé plus d'une heure. Il était moins bon en géologie qu'en histoire, premier Winckelmann, second Fleurier. Le dimanche, il allait se promener à bicyclette, avec Costil et Winckelmann. A travers de rousses campagnes que la chaleur écrasait, les bicyclettes glissaient sur la moelleuse poussière ; les jambes de Lucien étaient vivaces et musclées mais l'odeur sommeilleuse des routes lui montait à la tête, il se courbait sur son guidon, ses yeux devenaient roses et se fermaient à demi. Il eut trois fois de suite le prix d'excellence. On lui donna *Fabiola ou l'Église des Catacombes*, *Le Génie du Christianisme* et la *Vie du Cardinal Lavigerie*. Costil au retour des grandes vacances leur apprit à tous le *De Profundis Morpionibus* et l'*Artilleur de Metz*. Lucien décida de faire mieux et consulta le Larousse médical de son père à l'article « Utérus », ensuite il leur expliqua comment les femmes étaient faites, il leur fit même un croquis au tableau et Costil déclara que c'était dégueulasse ; mais après cela ils ne pouvaient plus entendre parler de trompes sans éclater de rire, et Lucien pensait avec satisfaction qu'on ne trouverait pas dans la France entière un élève de seconde et peut-être même de rhétorique qui qui connût aussi bien que lui les organes féminins.

Quand les Fleurier s'installèrent à Paris, ce fut un éclair de magnésium. Lucien ne pouvait plus dormir à cause des cinémas, des autos et des rues. Il apprit à distinguer une Voisin d'une Packard, une Hispano-Suiza d'une Rolls et il parlait à l'occasion de voitures surbaissées ; depuis plus d'un an, il portait des culottes longues. Pour le récompenser de son succès à la première partie du baccalauréat, son père l'envoya en Angleterre ; Lucien vit des prairies gonflées d'eau et des falaises blanches, il fit de la boxe avec John Latimer et il apprit l'over-arm-stroke, mais, un beau matin, il se réveilla endormi, ça l'avait repris ; il revint tout somnolent à Paris. La classe de Mathématiques-Élémentaires du lycée Condorcet comptait trente-sept élèves. Huit de ces élèves disaient qu'ils étaient dessalés et traitaient les autres de puceaux. Les Dessalés méprisèrent Lucien jusqu'au 1er novembre, mais, le jour de la Toussaint, Lucien alla se promener avec Garry, le plus dessalé de tous et il fit preuve, négligemment, de connaissances anatomiques si précises que Garry fut ébloui. Lucien n'entra pas dans le groupe des dessalés parce que ses parents ne le laissaient pas sortir le soir, mais il eut avec eux des rapports de puissance à puissance.

Le jeudi, tante Berthe venait déjeuner rue Raynouard, avec Riri. Elle était devenue énorme et triste et passait son temps à soupirer ; mais comme sa peau était restée très fine et très blanche, Lucien aurait aimé la voir toute nue. Il y pensait le soir dans son lit : ça serait par un jour d'hiver, au bois de Boulogne, on la découvrirait nue dans un taillis, les bras croisés sur sa poitrine, frissonnante avec la chair de poule. Il imaginait qu'un passant myope la touchait du bout de sa canne en disant : « Mais qu'est-ce que c'est que cela ? » Lucien ne s'entendait pas très bien avec son cousin : Riri était devenu un joli jeune homme un peu trop élégant, il faisait sa philosophie à Lakanal et ne comprenait rien aux mathématiques. Lucien ne pouvait s'empêcher de penser que Riri, à sept ans passés, faisait encore son gros dans sa culotte, et qu'alors il marchait les jambes écartées comme un canard, et qu'il regardait sa maman avec des yeux candides en disant : « Mais non, maman, j'ai pas fait, je te promets. » Et il avait quelque répugnance à toucher la main de Riri. Pourtant, il était très gentil avec lui et lui expliquait ses cours de mathématiques ; il fallait qu'il fasse souvent un gros effort sur lui-même pour ne pas s'impatienter, parce que Riri n'était pas très intelligent. Mais il ne s'emporta jamais et il gardait toujours une voix posée et très calme. Mme Fleurier trouvait que Lucien avait beaucoup de tact, mais tante Berthe ne lui marquait aucune gratitude. Quand Lucien proposait à Riri de lui donner une leçon, elle rougissait un peu et s'agitait sur sa chaise en disant : « Mais non, tu es bien gentil, mon petit Lucien, mais Riri est trop grand garçon. Il pourrait s'il voulait ; il ne faut pas l'habituer à compter sur les autres. » Un soir, Mme Fleurier dit brusquement à Lucien : « Tu crois peut-être que Riri t'est reconnaissant de ce que tu fais pour lui ? Eh bien, détrompe-toi, mon petit garçon : il prétend que tu te gobes, c'est ta tante Berthe

qui me l'a dit. » Elle avait pris sa voix musicale et un
air bonhomme ; Lucien comprit qu'elle était folle de
colère. Il se sentait vaguement intrigué et ne trouva
rien à répondre. Le lendemain et le surlendemain, il
eut beaucoup de travail et toute cette histoire lui sortit
de l'esprit.

Le dimanche matin, il posa brusquement sa plume
et se demanda : « Est-ce que je me gobe ? » Il était
onze heures ; Lucien, assis à son bureau, regardait les
personnages roses de la cretonne qui tapissait les
murs ; il sentait sur sa joue gauche la chaleur sèche
et poussiéreuse du premier soleil d'avril, sur sa joue
droite la lourde chaleur touffue du radiateur. « Est-ce
que je me gobe ? » Il était difficile de répondre. Lucien
essaya d'abord de se rappeler son dernier entretien avec
Riri et de juger impartialement sa propre attitude.
Il s'était penché sur Riri et lui avait souri en disant :
« Tu piges ? Si tu ne piges pas, mon vieux Riri, n'aie
pas peur de le dire : on remettra ça. » Un peu plus
tard, il avait fait une erreur dans un raisonnement
délicat et il avait dit gaiement : « Au temps pour
moi. » C'était une expression qu'il tenait de M. Fleurier et qui l'amusait. Il n'y avait pas de quoi fouetter
un chat : « Mais est-ce que je me gobais, pendant que
je disais ça ? » A force de chercher, il fit soudain réapparaître quelque chose de blanc, de rond, de doux
comme un morceau de nuage : c'était sa pensée de
l'autre jour : il avait dit : « Tu piges ? » et il y avait
eu ça dans sa tête, mais ça ne pouvait pas se décrire.
Lucien fit des efforts désespérés pour *regarder* ce bout
de nuage et il sentit tout à coup qu'il tombait dedans,
la tête la première, il se trouva en pleine buée et
devint lui-même de la buée, il n'était plus qu'une
chaleur blanche et humide qui sentait le linge. Il

voulut s'arracher à cette buée et reprendre du recul, mais elle venait avec lui. Il pensa : « C'est moi, Lucien Fleurier, je suis dans ma chambre, je fais un problème de physique, c'est dimanche. » Mais ses pensées fondaient en brouillard, blanc sur blanc. Il se secoua et se mit à détailler les personnages de la cretonne, deux bergères, deux bergers et l'Amour. Puis tout à coup il se dit : « Moi, je suis... » et un léger déclic se produisit : il s'était réveillé de sa longue somnolence.

Ça n'était pas agréable : les bergers avaient sauté en arrière, il semblait à Lucien qu'il les regardait par le gros bout d'une lorgnette. A la place de cette stupeur qui lui était si douce et qui se perdait voluptueusement dans ses propres replis, il y avait maintenant une petite perplexité très réveillée qui se demandait : « Qui suis-je ? »

« Qui suis-je ? Je regarde le bureau, je regarde le cahier. Je m'appelle Lucien Fleurier mais ça n'est qu'un nom. Je me gobe. Je ne me gobe pas. Je ne sais pas, ça n'a pas de sens.

« Je suis un bon élève. Non. C'est de la frime : un bon élève aime travailler — moi pas. J'ai de bonnes notes, mais je n'aime pas travailler. Je ne déteste pas ça non plus, je m'en fous. Je me fous de tout. Je ne serai jamais un chef. » Il pensa avec angoisse : « Mais qu'est-ce que je vais devenir ? » Un moment passa ; il se gratta la joue et cligna de l'œil gauche parce que le soleil l'éblouissait : « Qu'est-ce que je suis, *moi* ? » Il y avait cette brume, enroulée sur elle-même, indéfinie. « Moi ! » Il regarda au loin ; le mot sonnait dans sa tête et puis peut-être qu'on pouvait deviner quelque chose comme la pointe sombre d'une pyramide dont les côtés fuyaient, au loin, dans la brume. Lucien frissonna et ses mains tremblaient : « Ça y est, pensa-t-il, ça y est! J'en étais sûr : *je n'existe pas.* »

Pendant les mois qui suivirent, Lucien essaya souvent de se rendormir mais il n'y réussit pas : il dormait bien régulièrement neuf heures par nuit et, le reste du temps, il était tout vif et de plus en plus perplexe : ses parents disaient qu'il ne s'était jamais si bien porté. Quand il lui arrivait de penser qu'il n'avait pas l'étoffe d'un chef, il se sentait romantique et il avait envie de marcher pendant des heures sous la lune ; mais ses parents ne l'autorisaient pas encore à sortir le soir. Alors souvent, il s'allongeait sur son lit et prenait sa température : le thermomètre marquait 37-5 ou 37-6 et Lucien pensait avec un plaisir amer que ses parents lui trouvaient bonne mine. « Je n'existe pas. » Il fermait les yeux et se laissait aller : l'existence est une illusion ; puisque je *sais* que je n'existe pas, je n'ai qu'à me boucher les oreilles, à ne plus penser à rien, et je vais m'anéantir. Mais l'illusion était tenace. Au moins avait-il sur les autres gens la supériorité très malicieuse de posséder un secret : Garry, par exemple, n'existait pas plus que Lucien. Mais il suffisait de le voir s'ébrouer tumultueusement au milieu de ses admirateurs : on comprenait tout de suite qu'il croyait dur comme fer à sa propre existence. M. Fleurier non plus n'existait pas — ni Riri ni personne — le monde était une comédie sans acteurs. Lucien, qui avait obtenu la note 15 pour sa dissertation sur « la Morale et la Science », songea à écrire un *Traité du Néant* et il imaginait que les gens, en le lisant, se résorberaient les uns après les autres, comme les vampires au chant du coq. Avant de commencer la rédaction de son traité, il voulut prendre l'avis du Babouin, son prof de philo. « Pardon, monsieur, lui dit-il à la fin d'une classe, est-ce qu'on peut soutenir que nous n'existons pas ? »

Le Babouin dit que non. « Goghito, dit-il, ergo çoum. Vous existez puisque vous doutez de votre existence. » Lucien n'était pas convaincu mais il renonça à écrire son ouvrage. En juillet, il fut reçu sans éclat à son baccalauréat de mathématiques et partit pour Férolles avec ses parents. La perplexité ne passait toujours pas : c'était comme une envie d'éternuer.

Le père Bouligaud était mort, et la mentalité des ouvriers de M. Fleurier avait beaucoup changé. Ils touchaient à présent de gros salaires, et leurs femmes s'achetaient des bas de soie. Mme Bouffardier citait des détails effarants à Mme Fleurier : « Ma bonne me racontait qu'elle voyait hier chez le rôtisseur la petite Ansiaume, qui est la fille d'un bon ouvrier de votre mari et dont nous nous sommes occupées quand elle a perdu sa mère. Elle a épousé un ajusteur de Beaupertuis. Eh bien, elle commandait un poulet de vingt francs ! Et d'une arrogance ! Rien n'est assez bon pour elles ; elles veulent avoir tout ce que nous avons. » A présent, quand Lucien faisait, le dimanche, un petit tour de promenade avec son père, les ouvriers touchaient à peine leurs casquettes en les voyant et il y en avait même qui traversaient pour n'avoir pas à saluer. Un jour, Lucien rencontra le fils Bouligaud qui n'eut même pas l'air de le reconnaître. Lucien en fut un peu excité : c'était l'occasion de se prouver qu'il était un chef. Il fit peser sur Jules Bouligaud un regard d'aigle et s'avança vers lui, les mains derrière le dos. Mais Bouligaud ne sembla pas intimidé : il tourna vers Lucien des yeux vides et le croisa en sifflotant. « Il ne m'a pas reconnu », se dit Lucien. Mais il était profondément déçu et, les jours qui suivirent, il pensa plus que jamais que le monde n'existait pas.

Le petit revolver de Mme Fleurier était rangé dans

le tiroir de gauche de sa commode. Son mari lui en
avait fait cadeau en septembre 1914 avant de partir
au front. Lucien le prit et le tourna longtemps entre
ses doigts : c'était un petit bijou, avec un canon doré
et une crosse plaquée de nacre. On ne pouvait pas
compter sur un traité de philosophie pour persuader
aux gens qu'ils n'existaient pas. Ce qu'il fallait c'était
un acte, un acte vraiment désespéré qui dissipât les
apparences et montrât en pleine lumière le néant du
monde. Une détonation, un jeune corps saignant sur
un tapis, quelques mots griffonnés sur une feuille :
« Je me tue parce que je n'existe pas. Et vous aussi,
mes frères, vous êtes néant! » Les gens liraient leur
journal le matin ; ils verraient : « Un adolescent a
osé! » Et chacun se sentirait terriblement troublé et
se demanderait : « Et moi ? Est-ce que j'existe ? » On
avait connu dans l'histoire, entre autres lors de la
publication de *Werther*, de semblables épidémies de
suicides ; Lucien pensa que « martyr » en grec veut
dire « témoin ». Il était trop sensible pour faire un
chef mais non pour faire un martyr. Par la suite, il
entra souvent dans le boudoir de sa mère, et il regardait le revolver, et il entrait en agonie. Il lui arriva
même de mordre le canon doré en serrant fortement
ses doigts contre la crosse. Le reste du temps, il était
plutôt gai parce qu'il pensait que tous les vrais chefs
avaient connu la tentation du suicide. Par exemple,
Napoléon. Lucien ne se dissimulait pas qu'il touchait
le fond du désespoir mais il espérait sortir de cette
crise avec une âme trempée et il lut avec intérêt le
Mémorial de Sainte-Hélène. Il fallait pourtant prendre
une décision : Lucien se fixa le 30 septembre comme
terme ultime de ses hésitations. Les derniers jours
furent extrêmement pénibles : certes la crise était

salutaire, mais elle exigeait de Lucien une tension si
forte qu'il craignait de se briser, un jour, comme du
verre. Il n'osait plus toucher au revolver ; il se conten-
tait d'ouvrir le tiroir, il soulevait un peu les combi-
naisons de sa mère et contemplait longuement le petit
monstre glacial et têtu qui se tassait au creux de la
soie rose. Pourtant lorsqu'il eut accepté de vivre, il
ressentit un vif désappointement et se trouva tout
désœuvré. Heureusement, les multiples soucis de la
rentrée l'absorbèrent : ses parents l'envoyèrent au
lycée Saint-Louis suivre les cours préparatoires à
l'École centrale. Il portait un beau calot à liséré rouge
avec un insigne et chantait :

> *C'est le piston qui fait marcher les machines*
> *C'est le piston qui fait marcher les wagons...*

Cette dignité nouvelle de « piston » comblait Lucien de fierté ; et puis sa classe ne ressemblait pas aux
autres : elle avait des traditions et un cérémonial ;
c'était une force. Par exemple, il était d'usage qu'une
voix demandât, un quart d'heure avant la fin du cours
de français : « Qu'est-ce qu'un cyrard ? » et tout le
monde répondait en sourdine : « C'est un con! » Sur
quoi la voix reprenait : « Qu'est-ce qu'un agro ? » et
on répondait un peu plus fort : « C'est un con! » Alors
M. Béthune qui était presque aveugle et portait
des lunettes noires, disait avec lassitude : « Je vous
en prie, messieurs! » Il y avait quelques instants de
silence absolu, et les élèves se regardaient avec des
sourires d'intelligence, puis quelqu'un criait : « Qu'est-
ce qu'un piston ? » et ils rugissaient tous ensemble :
« C'est un type énorme! » A ces moments-là, Lucien
se sentait galvanisé. Le soir, il relatait minutieusement

à ses parents les divers incidents de la journée et quand il disait : « Alors toute la classe s'est mise à rigoler... » ou bien « toute la classe a décidé de mettre Meyrinez en quarantaine », les mots, en passant, lui chauffaient la bouche comme une gorgée d'alcool. Pourtant les premiers mois furent très durs : Lucien manqua ses compositions de mathématiques et de physique et puis, individuellement, ses camarades n'étaient pas trop sympathiques : c'étaient des boursiers, pour la plupart bûcheurs et malpropres avec de mauvaises manières. « Il n'y en a pas un, dit-il à son père, dont je voudrais me faire un ami. — Les boursiers, dit rêveusement M. Fleurier, représentent une élite intellectuelle et pourtant ils font de mauvais chefs : ils ont brûlé une étape. » Lucien, en entendant parler de « mauvais chefs », sentit un pincement désagréable à son cœur et il pensa de nouveau à se tuer pendant les semaines qui suivirent ; mais il n'avait plus le même enthousiasme qu'aux vacances. Au mois de janvier, un nouvel élève nommé Berliac scandalisa toute la classe : il portait des vestons cintrés verts ou mauves, à la dernière mode, de petits cols ronds et des pantalons comme on en voyait sur les gravures de tailleurs, si étroits qu'on se demandait comment il pouvait les enfiler. D'emblée, il se classa dernier en mathématiques. « Je m'en fous, déclara-t-il, je suis un littéraire, je fais des maths pour me mortifier. » Au bout d'un mois, il avait séduit tout le monde : il distribuait des cigarettes de contrebande et il leur dit qu'il avait des femmes et leur montra les lettres qu'elles lui envoyaient. Toute la classe décida que c'était un chic type et qu'il fallait lui ficher la paix. Lucien admirait beaucoup son élégance et ses manières, mais Berliac traitait Lucien avec condescendance et l'appelait

« gosse de riches ». « Après tout, dit un jour Lucien, ça vaut mieux que si j'étais gosse de pauvres. » Berliac sourit. « Tu es un petit cynique! » lui dit-il, et le lendemain, il lui fit lire un de ses poèmes : « Caruso gobait des yeux crus tous les soirs, à part ça sobre comme un chameau. Une dame fit un bouquet avec les yeux de sa famille et les lança sur la scène. Chacun s'incline devant ce geste exemplaire. Mais n'oubliez pas que son heure de gloire dura trente-sept minutes : exactement depuis le premier bravo jusqu'à l'extinction du grand lustre de l'Opéra (par la suite il fallait qu'elle tînt en laisse son mari, lauréat de plusieurs concours, qui bouchait avec deux croix de guerre les cavités roses de ses orbites). Et notez bien ceci : tous ceux d'entre nous qui mangeront trop de chair humaine en conserve périront par le scorbut. » « C'est très bien, dit Lucien décontenancé. — Je les obtiens, dit Berliac avec nonchalance, par une technique nouvelle, ça s'appelle l'écriture automatique. » A quelque temps de là, Lucien eut une violente envie de se tuer et décida de demander conseil à Berliac. « Qu'est-ce que je dois faire ? » demanda-t-il quand il eut exposé son cas. Berliac l'avait écouté avec attention ; il avait l'habitude de sucer ses doigts et d'enduire ensuite de salive les boutons qu'il avait sur la figure, de sorte que sa peau brillait par places comme un chemin après la pluie. « Fais comme tu voudras, dit-il enfin, ça n'a aucune importance. » Il réfléchit un peu et ajouta en appuyant sur les mots : « *Rien* n'a *jamais* aucune importance. » Lucien fut un peu déçu, mais il comprit que Berliac avait été profondément frappé quand celui-ci, le jeudi suivant, l'invita à goûter chez sa mère. Mme Berliac fut très aimable ; elle avait des verrues et une tache de lie de vin sur la joue gauche :

« Vois-tu, dit Berliac à Lucien, les vraies victimes de la guerre c'est nous. » C'était bien l'avis de Lucien, et ils convinrent qu'ils appartenaient tous les deux à une génération sacrifiée. Le jour tombait, Berliac s'était couché sur son lit, les mains nouées derrière la nuque. Ils fumèrent des cigarettes anglaises, firent tourner des disques au gramophone, et Lucien entendit la voix de Sophie Tucker et celle d'Al Johnson. Ils devinrent tout mélancoliques et Lucien pensa que Berliac était son meilleur ami. Berliac lui demanda s'il connaissait la psychanalyse ; sa voix était sérieuse et il regardait Lucien avec gravité. « J'ai désiré ma mère jusqu'à l'âge de quinze ans », lui confia-t-il. Lucien se sentit mal à l'aise ; il avait peur de rougir et puis il se rappelait les verrues de Mme Berliac et ne comprenait pas bien qu'on pût la désirer. Pourtant lorsqu'elle entra pour leur apporter des toasts, il fut vaguement troublé et essaya de deviner sa poitrine à travers le chandail jaune qu'elle portait. Quand elle fut sortie, Berliac dit d'une voix positive : « Toi aussi, naturellement, tu as eu envie de coucher avec ta mère. » Il n'interrogeait pas, il affirmait. Lucien haussa les épaules : « Naturellement », dit-il. Le lendemain, il était inquiet, il avait peur que Berliac ne répétât leur conversation. Mais il se rassura vite : « Après tout, pensa-t-il, il s'est plus compromis que moi. » Il était très séduit par le tour scientifique qu'avaient pris leurs confidences et, le jeudi suivant, il lut un ouvrage de Freud sur le rêve à la bibliothèque Sainte-Geneviève. Ce fut une révélation. « C'est donc ça, se répétait Lucien en marchant au hasard par les rues, c'est donc ça! » Il acheta par la suite l'*Introduction à la Psychanalyse* et la *Psychopathologie de la vie quotidienne*, tout devint clair pour lui. Cette impression étrange

de ne pas exister, ce vide qu'il y avait eu longtemps
dans sa conscience, ses somnolences, ses perplexités,
ses efforts vains pour se connaître, qui ne rencontraient
jamais qu'un rideau de brouillard... « Parbleu, pensa-
t-il, j'ai un complexe. » Il raconta à Berliac comment
il s'était, dans son enfance, figuré qu'il était somnambule et comment les objets ne lui paraissaient jamais
tout à fait réels : « Je dois avoir, conclut-il, un complexe de derrière les fagots. — Tout comme moi, dit
Berliac, nous avons des complexes maison! » Ils
prirent l'habitude d'interpréter leurs rêves et jusqu'à
leurs moindres gestes ; Berliac avait toujours tant
d'histoires à raconter que Lucien le soupçonnait un
peu de les inventer ou, tout au moins, de les embellir.
Mais ils s'entendaient très bien et ils abordaient les
sujets les plus délicats avec objectivité ; ils s'avouèrent
qu'ils portaient un masque de gaieté pour tromper
leur entourage mais qu'ils étaient au fond terriblement tourmentés. Lucien était délivré de ses inquiétudes. Il s'était jeté avec avidité sur la psychanalyse
parce qu'il avait compris que c'était ce qui lui convenait
et, à présent, il se sentait raffermi, il n'avait plus besoin
de se faire du mauvais sang et d'être toujours à
chercher dans sa conscience les manifestations pal-
pables de son caractère. Le véritable Lucien était
profondément enfoui dans l'inconscient ; il fallait
rêver à lui sans jamais le voir, comme à un cher
absent. Lucien pensait tout le jour à ses complexes
et il imaginait avec une certaine fierté le monde
obscur, cruel et violent qui grouillait sous les vapeurs
de sa conscience. « Tu comprends, disait-il à Berliac,
en apparence j'étais un gosse endormi et indifférent
à tout, quelqu'un de pas très intéressant. Et même
du dedans, tu sais, ça avait tellement l'air d'être

ça, que j'ai failli m'y laisser prendre. Mais je savais
bien qu'il y avait autre chose. — Il y a *toujours*
autre chose », répondait Berliac. Et ils se souriaient
avec orgueil. Lucien fit un poème intitulé *Quand la
brume se déchirera* et Berliac le trouva fameux, mais il
reprocha à Lucien de l'avoir écrit en vers réguliers.
Ils l'apprirent tout de même par cœur et quand ils
voulaient parler de leurs libidos ils disaient volontiers :

« Les grands crabes tapis sous le manteau de brume »
puis, tout simplement, « les crabes » en clignant de
l'œil. Mais au bout de quelque temps, Lucien, quand
il était seul et surtout le soir, commença à trouver
tout cela un peu effrayant. Il n'osait plus regarder
sa mère en face, et quand il l'embrassait avant d'aller
se coucher, il craignait qu'une puissance ténébreuse ne
déviât son baiser et ne le fît tomber sur la bouche de
Mme Fleurier, c'était comme s'il avait porté en lui-
même un volcan. Lucien se traita avec précaution,
pour ne pas violenter l'âme somptueuse et sinistre
qu'il s'était découverte. Il en connaissait à présent
tout le prix et il en redoutait les terribles réveils. « J'ai
peur de moi », se disait-il. Il avait renoncé depuis six
mois aux pratiques solitaires parce qu'elles l'ennuyaient et qu'il avait trop de travail mais il y
revint : il fallait que chacun suivît sa pente, les livres
de Freud étaient remplis par les histoires de malheureux jeunes gens qui avaient eu des poussées de névrose
pour avoir rompu trop brusquement avec leurs habitudes. « Est-ce que nous n'allons pas devenir fous ? »
demandait-il à Berliac. Et de fait, certains jeudis, ils
se sentaient étranges : la pénombre s'était sournoisement glissée dans la chambre de Berliac, ils avaient
fumé des paquets entiers de cigarettes opiacées, leurs

mains tremblaient. Alors l'un d'eux se levait sans mot dire, marchait à pas de loup jusqu'à la porte et tournait le commutateur. Une lumière jaune envahissait la pièce, et ils se regardaient avec défiance.

Lucien ne tarda pas à remarquer que son amitié avec Berliac reposait sur un malentendu : nul plus que lui, certes, n'était sensible à la beauté pathétique du complexe d'Œdipe, mais il y voyait surtout le signe d'une puissance de passion qu'il souhaitait dériver plus tard vers d'autres fins. Berliac, au contraire, semblait se complaire dans son état et n'en voulait pas sortir. « Nous sommes des types foutus, disait-il avec orgueil, des ratés. Nous ne ferons jamais rien. — Jamais rien », répondait Lucien en écho. Mais il était furieux. Au retour des vacances de Pâques, Berliac lui raconta qu'il avait partagé la chambre de sa mère dans un hôtel de Dijon : il s'était levé au petit matin, s'était approché du lit où sa mère dormait encore et avait rabattu doucement les couvertures. « Sa chemise était relevée », dit-il en ricanant. En entendant ces mots, Lucien ne put se défendre de mépriser un peu Berliac et il se sentit très seul. C'était bien joli d'avoir des complexes mais il fallait savoir les liquider à temps : comment un homme fait pourrait-il assumer des responsabilités, et prendre un commandement, s'il avait gardé une sexualité infantile ? Lucien commença à s'inquiéter sérieusement : il aurait aimé prendre le conseil d'une personne autorisée, mais il ne savait à qui s'adresser. Berliac lui parlait souvent d'un surréaliste nommé Bergère qui était très versé dans la psychanalyse et qui semblait avoir pris un grand ascendant sur lui ; mais jamais il n'avait proposé à Lucien de le lui faire connaître. Lucien fut aussi très déçu parce qu'il avait compté sur Berliac pour lui

procurer des femmes ; il pensait que la possession
d'une jolie maîtresse changerait tout naturellement le
cours de ses idées. Mais Berliac ne parlait plus jamais
de ses belles amies. Ils allaient quelquefois sur les
grands boulevards et suivaient des typesses mais ils
n'osaient pas leur parler : « Que veux-tu, mon pauvre
vieux, disait Berliac, nous ne sommes pas de la race
qui plaît. Les femmes sentent en nous quelque chose
qui les effraie. » Lucien ne répondait pas ; Berliac
commençait à l'agacer. Il faisait souvent des plaisanteries de très mauvais goût sur les parents de Lucien,
il les appelait monsieur et madame Dumollet. Lucien
comprenait fort bien qu'un surréaliste méprisât la
bourgeoisie en général, mais Berliac avait été invité
plusieurs fois par Mme Fleurier qui l'avait traité avec
confiance et amitié : à défaut de gratitude, un simple
souci de décence aurait dû l'empêcher de parler d'elle
sur ce ton. Et puis Berliac était terrible avec sa manie
d'emprunter de l'argent qu'il ne rendait pas : dans
l'autobus il n'avait jamais de monnaie, et il fallait
payer pour lui ; dans les cafés, il ne proposait qu'une
fois sur cinq de régler les consommations. Lucien lui
dit tout net, un jour, qu'il ne comprenait pas cela, et
qu'on devait, entre camarades, partager tous les frais
des sorties. Berliac le regarda avec profondeur et lui
dit : « Je m'en doutais : tu es un anal » et il lui expliqua le rapport freudien : fèces = or et la théorie freu-
dienne de l'avarice. « Je voudrais savoir une chose,
dit-il ; jusqu'à quel âge ta mère t'a-t-elle essuyé ? »
Ils faillirent se brouiller.

Dès le début du mois de mai, Berliac se mit à sécher
le lycée : Lucien allait le rejoindre, après la classe,
dans un bar de la rue des Petits-Champs où ils buvaient
des vermouths Crucifix. Un mardi après-midi, Lucien

trouva Berliac attablé devant un verre vide. « Te voilà, dit Berliac. Écoute, il faut que je les mette, j'ai rendez-vous à cinq heures avec mon dentiste. Attends-moi, il habite à côté, et j'en ai pour une demi-heure. — O. K., répondit Lucien en se laissant tomber sur une chaise. François, donnez-moi un vermouth blanc. » A ce moment un homme entra dans le bar et sourit d'un air étonné en les apercevant. Berliac rougit et se leva précipitamment. « Qui ça peut-il être ? » se demanda Lucien. Berliac, en serrant la main de l'inconnu, s'était arrangé pour lui masquer Lucien ; il parlait d'une voix basse et rapide, l'autre répondit d'une voix claire. « Mais non, mon petit, mais non, tu ne seras jamais qu'un pitre. » En même temps, il se haussait sur la pointe des pieds et dévisageait Lucien par-dessus le crâne de Berliac, avec une tranquille assurance. Il pouvait avoir trente-cinq ans ; il avait un visage pâle et de magnifiques cheveux blancs : « C'est sûrement Bergère, pensa Lucien le cœur battant, ce qu'il est beau ! »

Berliac avait pris l'homme aux cheveux blancs par le coude d'un geste timidement autoritaire :

— Venez avec moi, dit-il, je vais chez mon dentiste, c'est à deux pas.

— Mais tu étais avec un ami, je crois, répondit l'autre sans quitter Lucien des yeux, tu devrais nous présenter l'un à l'autre.

Lucien se leva en souriant. « Attrape ! » pensait-il ; il avait les joues en feu. Le cou de Berliac rentra dans ses épaules, et Lucien crut une seconde qu'il allait refuser. « Eh bien, présente-moi donc », fit-il d'une voix gaie. Mais à peine avait-il parlé que le sang afflua à ses tempes ; il aurait voulu rentrer sous terre. Berliac fit volte-face et marmotta sans regarder personne :

— Lucien Fleurier, un camarade de lycée, monsieur Achille Bergère.

— Monsieur, j'admire vos œuvres, dit Lucien d'une voix faible. Bergère lui prit la main dans ses longues mains fines et l'obligea à se rasseoir. Il y eut un silence ; Bergère enveloppait Lucien d'un chaud regard tendre ; il lui tenait toujours la main : « Êtes-vous inquiet ? » demanda-t-il avec douceur.

Lucien s'éclaircit la voix et rendit à Bergère un ferme regard :

— Je suis inquiet ! répondit-il distinctement. Il lui semblait qu'il venait de subir les épreuves d'une initiation. Berliac hésita un instant puis vint rageusement reprendre sa place en jetant son chapeau sur la table. Lucien brûlait d'envie de raconter à Bergère sa tentative de suicide ; c'était quelqu'un avec qui il fallait parler des choses abruptement et sans préparation. Il n'osa rien dire à cause de Berliac ; il haïssait Berliac.

— Avez-vous du raki ? demanda Bergère au garçon.

— Non, ils n'en ont pas, dit Berliac avec empressement ; c'est une petite boîte charmante mais il n'y à rien à boire que du vermouth.

— Qu'est-ce que c'est que cette chose jaune que vous avez là-bas dans une carafe ? demanda Bergère avec une aisance pleine de mollesse.

— C'est du crucifix blanc, répondit le garçon.

— Eh bien, donnez-moi de ça.

Berliac se tortillait sur sa chaise : il semblait partagé entre le désir de vanter ses amis et la crainte de faire briller Lucien à ses dépens. Il finit par dire, d'une voix morne et fière :

— Il a voulu se tuer.

— Parbleu ! dit Bergère, je l'espère bien.

Il y eut un nouveau silence : Lucien avait baissé les yeux d'un air modeste mais il se demandait si Berliac n'allait pas bientôt foutre le camp. Bergère regarda tout à coup sa montre.

— Et ton dentiste ? demanda-t-il.

Berliac se leva de mauvaise grâce.

— Accompagnez-moi, Bergère, supplia-t-il, c'est à deux pas.

— Mais non, puisque tu reviens. Je tiendrai compagnie à ton camarade.

Berliac demeura encore un moment, il sautait d'un pied sur l'autre.

— Allez, file, dit Bergère, d'une voix impérieuse, tu nous retrouveras ici.

Lorsque Berliac fut parti, Bergère se leva et vint s'asseoir sans façon à côté de Lucien. Lucien lui raconta longuement son suicide ; il lui expliqua aussi qu'il avait désiré sa mère, et qu'il était un sadico-anal, et qu'il n'aimait rien au fond, et que tout en lui était comédie. Bergère l'écoutait sans mot dire en le regardant profondément, et Lucien trouvait délicieux d'être compris. Quand il eut fini, Bergère lui passa familièrement le bras autour des épaules, et Lucien respira une odeur d'eau de Cologne et de tabac anglais.

— Savez-vous, Lucien, comment j'appelle votre état ? Lucien regarda Bergère avec espoir ; il ne fut pas déçu.

— Je l'appelle, dit Bergère, le Désarroi.

Désarroi : le mot avait commencé tendre et blanc comme un clair de lune, mais le « oi » final avait l'éclat cuivré d'un cor.

— Désarroi..., dit Lucien.

Il se sentait grave et inquiet comme lorsqu'il avait dit à Riri qu'il était somnambule. Le bar était sombre, mais la porte s'ouvrait toute grande sur la rue, sur le lumineux brouillard blond du printemps ; sous le parfum soigné que dégageait Bergère, Lucien percevait la lourde odeur de la salle obscure, une odeur de vin rouge et de bois humide. « Désarroi... pensait-il ; à quoi est-ce que ça va m'engager ? » Il ne savait pas bien si on lui avait découvert une dignité ou une maladie nouvelle ; il voyait près de ses yeux les lèvres agiles de Bergère qui voilaient et dévoilaient sans répit l'éclat d'une dent d'or.

— J'aime les êtres qui sont en désarroi, disait Bergère, et je trouve que vous avez une chance extraordinaire. Car enfin, cela vous a été donné. Vous voyez tous ces porcs ? Ce sont des assis. Il faudrait les donner aux fourmis rouges, pour les asticoter un peu. Vous savez ce qu'elles font ces consciencieuses bestioles ?

— Elles mangent de l'homme, dit Lucien.

— Oui, elles débarrassent les squelettes de leur viande humaine.

— Je vois, dit Lucien. — Il ajouta : Et moi ? Qu'est-ce qu'il faut que je fasse ?

— Rien, pour l'amour de Dieu, dit Bergère avec un effarement comique. Et surtout ne pas vous asseoir. A moins, dit-il en riant, que ce ne soit sur un pal. Avez-vous lu Rimbaud ?

— Nnnnon, dit Lucien.

— Je vous prêterai *Les Illuminations*. Écoutez, il faut que nous nous revoyions. Si vous êtes libre jeudi, passez donc chez moi vers trois heures, j'habite à Montparnasse, 9, rue Campagne-Première.

Le jeudi suivant, Lucien alla chez Bergère et il y retourna presque tous les jours du mois de mai. Ils avaient convenu de dire à Berliac qu'ils se voyaient une fois par semaine, parce qu'ils voulaient être francs

avec lui tout en évitant de lui faire de la peine. Berliac
s'était montré parfaitement déplacé ; il avait dit à
Lucien en ricanant : « Alors, c'est le béguin ? Il t'a
fait le coup de l'inquiétude, et tu lui as fait le coup du
suicide : le grand jeu, quoi! » Lucien protesta : « Je
te ferai remarquer, dit-il en rougissant, que c'est toi
qui as parlé le premier de mon suicide. — Oh! dit
Berliac, c'était seulement pour t'éviter la honte de le
faire toi-même. » Ils espacèrent leurs rendez-vous.
« Tout ce qui me plaisait en lui, dit un jour Lucien à
Bergère, c'est à vous qu'il l'empruntait, je m'en rends
compte à présent. — Berliac est un singe, dit Bergère
en riant, c'est ce qui m'a toujours attiré vers lui. Vous
savez que sa grand-mère maternelle est juive ? Cela
explique bien des choses. — En effet », répondit
Lucien. Il ajouta au bout d'un instant : « D'ailleurs,
c'est quelqu'un de charmant. » L'appartement de
Bergère était encombré d'objets étranges et comiques :
des poufs dont le siège de velours rouge reposait sur
des jambes de femmes en bois peint, des statuettes
nègres, une ceinture de chasteté en fer forgé avec des
piquants, des seins en plâtre dans lesquels on avait
planté de petites cuillers ; sur le bureau, un gigantesque
pou de bronze et un crâne de moine volé dans un
ossuaire de Mistra servaient de presse-papiers. Les
murs étaient tapissés de lettres de faire-part qui
annonçaient la mort du surréaliste Bergère. Malgré
tout, l'appartement donnait une impression de con-
fort intelligent, et Lucien aimait à s'étendre sur le
divan profond du fumoir. Ce qui l'étonnait particulièrement c'était l'énorme quantité de farces et d'attrapes que Bergère avait accumulées sur une étagère :
fluide glacial, poudre à éternuer, poil à gratter, sucre
flottant, étron diabolique, jarretelle de la mariée. Ber-

gère prenait, tout en parlant, l'étron diabolique entre
ses doigts et le considérait avec gravité : « Ces attrapes,
disait-il ont une valeur révolutionnaire ; elles inquiè-
tent. Il y a plus de puissance destructrice en elles que
dans les œuvres complètes de Lénine. » Lucien, surpris
et charmé, regardait tour à tour ce beau visage tour-
menté aux yeux caves et ces longs doigts fins qui
tenaient avec grâce un excrément parfaitement imité.
Bergère lui parlait souvent de Rimbaud et du « dérèglement systématique de tous les sens ». « Quand vous
pourrez, en passant sur la place de la Concorde, voir
distinctement et à volonté une négresse à genoux en
train de sucer l'obélisque, vous pourrez vous dire que
vous avez crevé le décor et que vous êtes sauvé. » Il
lui prêta *Les Illuminations*, les *Chants de Maldoror*, et
les œuvres du marquis de Sade. Lucien essayait cons-
ciencieusement de comprendre, mais beaucoup de
choses lui échappaient et il était choqué parce que
Rimbaud était pédéraste. Il le dit à Bergère qui se mit
à rire : « Mais pourquoi, mon petit ? » Lucien fut très
embarrassé. Il rougit et pendant une minute il se mit
à haïr Bergère de toutes ses forces ; mais il se domina,
releva la tête et dit avec une franchise simple : « J'ai
dit une connerie. » Bergère lui caressa les cheveux :
il paraissait attendri : « Ces grands yeux pleins de
trouble, dit-il, ces yeux de biche... Oui, Lucien, vous
avez dit une connerie. La pédérastie de Rimbaud,
c'est le dérèglement premier et génial de sa sensibilité.
C'est à elle que nous devons ses poèmes. Croire qu'il
y a des objets spécifiques du désir sexuel et que ces
objets sont les femmes, parce qu'elles ont un trou entre
les jambes, c'est la hideuse et volontaire erreur des
assis. Regardez ! » Il tira de son bureau une douzaine
de photos jaunies et les jeta sur les genoux de Lucien.

Lucien vit d'horribles putains nues, riant de leurs bouches édentées, écartant leurs jambes comme des lèvres et dardant entre leurs cuisses quelque chose comme une langue moussue. « J'ai eu la collection pour trois francs à Bou-Saada, dit Bergère. Si vous embrassez le derrière de ces femmes-là, vous êtes un fils de famille et tout le monde dira que vous menez la vie de garçon. Parce que ce sont des femmes, comprenez-vous ? Moi je vous dis que la première chose à faire c'est de vous persuader que *tout* peut être objet de désir sexuel, une machine à coudre, une éprouvette, un cheval ou un soulier. Moi, dit-il en riant, j'ai fait l'amour avec des mouches. J'ai connu un fusilier marin qui couchait avec des canards. Il leur mettait la tête dans un tiroir, les tenait solidement par les pattes et allez donc ! » Bergère pinça distraitement l'oreille de Lucien et conclut : « Le canard en mourait, et le bataillon le mangeait. » Lucien sortait de ces entretiens, la tête en feu, il pensait que Bergère était un génie, mais il lui arrivait de se réveiller la nuit, trempé de sueur, la tête remplie de visions monstrueuses et obscènes, et il se demandait si Bergère exerçait sur lui une bonne influence : « Être seul ! gémissait-il en se tordant les mains, n'avoir personne pour me conseiller, pour me dire si je suis dans le droit chemin ! » S'il allait jusqu'au bout, s'il pratiquait pour de bon le dérèglement de tous ses sens, est-ce qu'il n'allait pas perdre pied et se noyer ! Un jour que Bergère lui avait longtemps parlé d'André Breton, Lucien murmura comme dans un rêve : « Oui, mais si, après ça, je ne peux plus revenir en arrière ? » Bergère sursauta : « Revenir en arrière ? Qui parle de revenir en arrière ? Si vous devenez fou, c'est tant mieux. Après, comme dit Rimbaud, " viendront d'autres horribles travail-

leurs ". — C'est bien ce que je pensais », dit Lucien
tristement. Il avait remarqué que ces longues causeries
avaient un résultat opposé à celui que souhaitait
Bergère : dès que Lucien se surprenait à éprouver une
sensation un peu fine, une impression originale, il se
mettait à trembler : « Ça commence », pensait-il. Il
aurait volontiers souhaité n'avoir plus que les percep-
tions les plus banales et les plus épaisses ; il ne se
sentait à l'aise que le soir avec ses parents : c'était son
refuge. Ils parlaient de Briand, de la mauvaise volonté
des Allemands, des couches de la cousine Jeanne et du
prix de la vie : Lucien échangeait voluptueusement
avec eux des propos d'un grossier bon sens. Un jour,
comme il rentrait dans sa chambre après avoir quitté
Bergère, il ferma machinalement la porte à clef et
poussa la targette. Quand il s'aperçut de son geste, il
s'efforça d'en rire, mais il ne put dormir de la nuit :
il venait de comprendre qu'il avait peur.

Cependant, il n'aurait cessé pour rien au monde
de fréquenter Bergère. « Il me fascine », se disait-il.
Et puis il appréciait vivement la camaraderie si déli-
cate et d'un genre si particulier que Bergère avait su
établir entre eux. Sans quitter un ton viril et presque
rude, Bergère avait l'art de faire sentir et, pour ainsi
dire, toucher à Lucien sa tendresse : par exemple, il
lui refaisait le nœud de sa cravate en le grondant d'être
si mal fagoté, il le peignait avec un peigne d'or qui
venait du Cambodge. Il fit découvrir à Lucien son
propre corps et lui expliqua la beauté âpre et pathétique de la jeunesse : « Vous êtes Rimbaud, lui disait-
il, il avait vos grandes mains quand il est venu à
Paris pour voir Verlaine, il avait ce visage rose de
jeune paysan bien portant et ce long corps grêle de
fillette blonde. » Il obligeait Lucien à défaire son col et

à ouvrir sa chemise, puis il le conduisait, tout confus, devant une glace et lui faisait admirer l'harmonie charmante de ses joues rouges et de sa gorge blanche ; alors il effleurait d'une main légère les hanches de Lucien et ajoutait tristement : « On devrait se tuer à vingt ans. » Souvent, à présent, Lucien se regardait dans les miroirs, et il apprenait à jouir de sa jeune grâce pleine de gaucherie. « Je suis Rimbaud », pensait-il, le soir, en ôtant ses vêtements avec des gestes pleins de douceur et il commençait à croire qu'il aurait la vie brève et tragique d'une fleur trop belle. A ces moments-là, il lui paraissait qu'il avait connu, très longtemps auparavant, des impressions analogues et une image absurde lui revenait à l'esprit : il se revoyait tout petit, avec une longue robe bleue et des ailes d'ange, distribuant des fleurs dans une vente de charité. Il regardait ses longues jambes. « Est-ce que c'est vrai que j'ai la peau si douce ? » pensait-il avec amusement. Et une fois il promena ses lèvres sur son avant-bras, du poignet à la saignée du coude, le long d'une charmante petite veine bleue.

Un jour, en entrant chez Bergère, il eut une surprise désagréable : Berliac était là, il s'occupait, à détacher avec un couteau des fragments d'une substance noirâtre qui avait l'aspect d'une motte de terre. Les deux jeunes gens ne s'étaient pas revus depuis dix jours : ils se serrèrent la main avec froideur. « Tu vois ça, dit Berliac, c'est du haschich. Nous allons en mettre dans ces pipes entre deux couches de tabac blond, ça fait un effet étonnant. Il y en a pour toi, ajouta-t-il. — Merci, dit Lucien, je n'y tiens pas. » Les deux autres se mirent à rire, et Berliac insista, l'œil mauvais : « Mais tu es idiot, mon vieux, tu vas en prendre : tu ne peux pas te figurer comme c'est

agréable. — Je t'ai dit que non! » dit Lucien. Berliac
ne répondit plus rien, il se borna à sourire d'un air
supérieur, et Lucien vit que Bergère souriait aussi.
Il tapa du pied et dit : « Je n'en veux pas, je ne veux
pas m'esquinter, je trouve idiot de prendre de ces
machins-là qui vous abrutissent. » Il avait lâché ça
malgré lui, mais quand il comprit la portée de ce qu'il
venait de dire et qu'il imagina ce que Bergère pouvait
penser de lui, il eut envie de tuer Berliac, et les larmes
lui vinrent aux yeux. « Tu es un bourgeois, dit Berliac
en haussant les épaules, tu fais semblant de nager,
mais tu as bien trop peur de perdre pied. — Je ne veux
pas prendre l'habitude des stupéfiants, dit Lucien
d'une voix plus calme ; c'est un esclavage comme un
autre et je veux rester disponible. — Dis que tu as
peur de t'engager », répondit violemment Berliac.
Lucien allait lui donner une paire de gifles quand il
entendit la voix impérieuse de Bergère. « Laisse-le,
Charles, disait-il à Berliac, c'est lui qui a raison. Sa
peur de s'engager c'est aussi du désarroi. » Ils fumèrent
tous deux, étendus sur le divan, et une odeur de papier
d'Arménie se répandit dans la pièce. Lucien s'était
assis sur un pouf en velours rouge et les contemplait
en silence. Berliac, au bout d'un moment, laissa aller
sa tête en arrière et battit des paupières avec un sourire mouillé. Lucien le regardait avec rancune et se
sentait humilié. Enfin Berliac se leva et quitta la pièce
d'un pas hésitant : il avait gardé jusqu'au bout sur
ses lèvres ce drôle de sourire endormi et voluptueux.
« Donnez-moi une pipe », dit Lucien d'une voix
rauque. Bergère se mit à rire. « Pas la peine, dit-il.
Ne t'en fais pas pour Berliac. Tu ne sais pas ce qu'il
fait en ce moment! — Je m'en fous. dit Lucien. — Eh
bien, sache tout de même qu'il vomit, dit tranquille-

ment Bergère. C'est le seul effet que le haschich lui ait jamais produit. Le reste n'est qu'une comédie, mais je lui en fais fumer quelquefois parce qu'il veut m'épater et que ça m'amuse. » Le lendemain Berliac vint au lycée et il voulut le prendre de haut avec Lucien. « Tu montes dans les trains, dit-il, mais tu choisis soigneusement ceux qui restent en gare. » Mais il trouva à qui parler. « Tu es un bonimenteur, lui répondit Lucien, tu crois peut-être que je ne sais pas ce que tu faisais hier dans la salle de bain ? Tu dégueulais, mon vieux ! » Berliac devint blême. « C'est Bergère que te l'a dit ? — Qui veux-tu que ça soit ? — C'est bien, balbutia Berliac, mais je n'aurais pas cru que Bergère fût un type à se foutre de ses anciens copains avec les nouveaux. » Lucien était un peu inquiet : il avait promis à Bergère de ne rien répéter. « Allez, ça va ! dit-il, il ne s'est pas foutu de toi, il a simplement voulu me montrer que ça ne prenait pas. » Mais Berliac lui tourna le dos et partit sans lui serrer la main. Lucien n'était pas trop fier quand il retrouva Bergère. « Qu'est-ce que vous avez dit à Berliac ? » demanda Bergère d'un air neutre. Lucien baissa la tête sans répondre : il était accablé. Mais il sentit soudain la main de Bergère sur sa nuque : « Ça ne fait rien du tout, mon petit. De toute façon, il fallait que ça finisse : les comédiens ne m'amusent jamais longtemps. » Lucien reprit un peu de courage : il releva la tête et sourit : « Mais moi aussi je suis un comédien, dit-il en battant des paupières. — Oui, mais toi, tu es joli », répondit Bergère en l'attirant contre lui. Lucien se laissa aller ; il se sentait doux comme une fille et il avait les larmes aux yeux. Bergère l'embrassa sur les joues et lui mordilla l'oreille en l'appelant tantôt « ma belle petite canaille » et tantôt « mon petit frère », et Lucien pensait qu'il était bien agréable d'avoir un grand frère si indulgent et si compréhensif.

M. et Mme Fleurier voulurent connaître ce Bergère dont Lucien parlait tant et ils l'invitèrent à dîner. Tout le monde le trouva charmant, jusqu'à Germaine, qui n'avait jamais vu un si bel homme. M. Fleurier avait connu le général Nizan qui était l'oncle de Bergère et il en parla longuement. Aussi Mme Fleurier fut-elle trop heureuse de confier Lucien à Bergère pour les vacances de la Pentecôte. Ils allèrent à Rouen, en auto ; Lucien voulait voir la cathédrale et l'hôtel de ville, mais Bergère refusa tout net : « Ces ordures ? » demanda-t-il avec insolence. Finalement ils allèrent passer deux heures dans un bordel de la rue des Cordeliers, et Bergère fut marrant : il appelait toutes les poufiasses « Mademoiselle » en donnant des coups de genoux à Lucien sous la table, puis il accepta de monter avec l'une d'elles, mais revint au bout de cinq minutes : « Foutons le camp, souffla-t-il, sans quoi, ça va barder. » Ils payèrent rapidement et sortirent. Dans la rue, Bergère raconta ce qui s'était passé ; il avait profité de ce que la femme avait le dos tourné pour jeter dans le lit une pleine poignée de poils à gratter, puis il avait déclaré qu'il était impuissant et il était redescendu. Lucien avait bu deux whiskies et il était un peu parti ; il chanta l'*Artilleur de Metz* et le *De Profundis Morpionibus* ; il trouvait admirable que Bergère fût à la fois si profond et si gamin.

« Je n'ai retenu qu'une chambre, dit Bergère quand ils arrivèrent à l'hôtel, mais il y a une grande salle de bain. » Lucien ne fut pas surpris : il avait vaguement pensé pendant le voyage qu'il partagerait la chambre de Bergère mais sans jamais s'arrêter bien

longtemps sur cette idée. A présent qu'il ne pouvait
plus reculer, il trouvait la chose un peu désagréable,
surtout parce qu'il n'avait pas les pieds propres. Il
imagina, pendant qu'on montait les valises, que
Bergère lui dirait : « Comme tu es sale, tu vas noircir
les draps », et il lui répondrait avec insolence : « Vous
avez des idées bien bourgeoises sur la propreté. » Mais
Bergère le poussa dans la salle de bain avec sa valise
en lui disant : « Arrange-toi là-dedans, moi je vais me
déshabiller dans la chambre. » Lucien prit un bain de
pieds et un bain de siège. Il avait envie d'aller aux
cabinets mais il n'osa pas et se contenta d'uriner dans
le lavabo ; puis il revêtit sa chemise de nuit, mit des
pantoufles que sa mère lui avait prêtées (les siennes
étaient toutes trouées) et frappa : « Êtes-vous prêt ?
demanda-t-il. — Oui, oui, entre. » Bergère avait enfilé
une robe de chambre noire sur un pyjama bleu ciel.
La chambre sentait l'eau de Cologne. « Il n'y a qu'un
lit ? » demanda Lucien. Bergère ne répondit pas : il
regardait Lucien avec une stupeur qui s'acheva en un
formidable éclat de rire : « Mais tu es en bannière! dit-
il en riant. Qu'as-tu fait de ton bonnet de nuit ? Ah!
non, tu es trop drôle, je voudrais que tu te voies.
— Voilà deux ans, dit Lucien très vexé, que je demande à ma mère de m'acheter des pyjamas. » Bergère
vint vers lui : « Allez, ôte ça, dit-il d'un ton sans
réplique, je vais t'en donner un des miens. Il va être
un peu grand, mais ça t'ira toujours mieux que ça. »
Lucien demeura cloué au milieu de la pièce, les yeux
rivés sur les losanges rouges et verts de la tapisserie.
Il aurait préféré retourner dans la salle de bain mais
il eut peur de passer pour un imbécile, et d'un mouvement sec il envoya promener sa chemise par-dessus sa
tête. Il y eut un instant de silence : Bergère regardait

Lucien en souriant, et Lucien comprit soudain qu'il
était tout nu au milieu de la chambre et qu'il portait
à ses pieds les pantoufles à pompon de sa mère. Il
regarda ses mains — les grandes mains de Rimbaud —
il aurait voulu les plaquer contre son ventre et cacher
au moins ça, mais il se reprit et les mit bravement
derrière son dos. Sur les murs, entre deux rangs de
losanges, il y avait de loin en loin un petit carré violet.
« Ma parole, dit Bergère, il est aussi chaste qu'une
pucelle : regarde-toi dans une glace, Lucien, tu as rougi
jusqu'à la poitrine. Tu es pourtant mieux comme ça
qu'en bannière. — Oui, dit Lucien avec effort, mais
on n'a jamais l'air fin quand on est à poil. Passez-moi
vite le pyjama. » Bergère lui jeta un pyjama de soie
qui sentait la lavande, et ils se mirent au lit. Il y eut
un lourd silence : « Ça va mal, dit Lucien ; j'ai envie
de dégueuler. » Bergère ne répondit pas et Lucien
eut un renvoi au whisky. « Il va coucher avec moi »,
se dit-il. Et les losanges de la tapisserie se mirent à
tourner pendant que l'étouffante odeur d'eau de
Cologne le saisissait à la gorge. « Je n'aurais pas dû
accepter de faire ce voyage. » Il n'avait pas eu de
chance ; vingt fois, ces derniers temps, il avait été à
deux doigts de découvrir ce que Bergère voulait de
lui et puis chaque fois, comme par un fait exprès, un
incident était survenu qui avait détourné sa pensée.
Et à présent, il était là, dans le lit de ce type, et il
attendait son bon plaisir. « Je vais prendre mon
oreiller et aller coucher dans la salle de bain. » Mais il
n'osa pas ; il pensait au regard ironique de Bergère.
Il se mit à rire : « Je pense à la putain de tout à
l'heure, dit-il, elle doit être en train de se gratter. » Bergère ne répondait toujours pas. Lucien le regarda du
coin de l'œil : il était étendu, sur le dos, l'air inno-

cent, les mains sous la nuque. Alors une fureur violente s'empara de Lucien, il se dressa sur un coude et
lui dit : « Eh bien, qu'est-ce que vous attendez ? C'est
pour enfiler des perles que vous m'avez amené ici ? »

Il était trop tard pour regretter sa phrase : Bergère
s'était tourné vers lui et le considérait d'un œil amusé :
« Voyez moi cette petite grue avec son visage d'ange.
Alors, mon bébé, je ne te l'ai pas fait dire : c'est sur
moi que tu comptes pour les dérégler, tes petits sens. »
Il le regarda encore un instant, leurs visages se touchaient presque, puis il prit Lucien dans ses bras et
lui caressa la poitrine sous la veste du pyjama. Ça
n'était pas désagréable, ça chatouillait un peu, seulement Bergère était effrayant : il avait pris un air idiot
et répétait avec effort : « Tu n'as pas honte, petit
cochon, tu n'as pas honte, petit cochon ! » comme les
disques de phono qui annoncent dans les gares le
départ des trains. La main de Bergère au contraire,
vive et légère, semblait une personne. Elle frôlait
doucement la pointe des seins de Lucien, on aurait dit
la caresse de l'eau tiède quand on entre dans le bain.
Lucien aurait voulu attraper cette main, l'arracher
de lui et la tordre, mais Bergère aurait rigolé : voyez
moi ce puceau. La main glissa lentement le long de
son ventre et s'attarda à défaire le nœud de la corde-
lière qui retenait son pantalon. Il la laissa faire : il
était lourd et mou comme une éponge mouillée et il
avait une frousse épouvantable. Bergère avait rabattu
les couvertures, il avait posé la tête sur la poitrine de
Lucien et il avait l'air de l'ausculter. Lucien eut coup
sur coup deux renvois aigres et il eut peur de dégueuler
sur les beaux cheveux argentés qui étaient si dignes.
« Vous me pressez sur l'estomac », dit-il. Bergère se
souleva un peu et passa une main sous les reins de

Lucien ; l'autre main ne caressait plus, elle tiraillait.
« Tu as de belles petites fesses », dit soudain Bergère.
Lucien croyait faire un cauchemar : « Elles vous plai-
sent ? » demanda-t-il avec coquetterie. Mais Bergère
le lâcha soudain et releva la tête d'un air dépité. « Sacré
petit bluffeur, dit-il rageusement, ça veut jouer les
Rimbaud et voilà plus d'une heure que je m'escrime
sur lui sans parvenir à l'exciter. » Des larmes d'énervement montèrent aux yeux de Lucien, et il repoussa
Bergère de toutes ses forces : « Ça n'est pas ma faute,
dit-il d'une voix sifflante, vous m'avez fait trop boire,
j'ai envie de dégueuler. — Eh bien, va ! va ! dit Bergère, et prends ton temps. » Il ajouta entre ses dents :
« Charmante soirée. » Lucien remonta son pantalon,
enfila la robe de chambre noire et sortit. Quand il
eut refermé la porte des cabinets, il se sentit si seul
et si désemparé qu'il éclata en sanglots. Il n'y avait pas
de mouchoirs dans les poches de la robe de chambre
et il s'essuya les yeux et le nez avec le papier hygié-
nique. Il eut beau se mettre deux doigts dans le gosier,
il n'arriva pas à vomir. Alors il fit machinalement
tomber son pantalon et s'assit sur le trône en grelottant. « Le salaud, pensait-il, le salaud ! » Il était
atrocement humilié, mais il ne savait pas s'il avait
honte d'avoir subi les caresses de Bergère ou de
n'avoir pas été troublé. Le couloir craquait de l'autre
côté de la porte, et Lucien sursautait à chaque craquement, mais il ne pouvait se décider à rentrer dans
la chambre : « Il faut pourtant que j'y aille, pensait-il,
il le faut, sans quoi il se foutra de moi — avec Berliac ! » et il se levait à demi, mais aussitôt il revoyait
le visage de Bergère et son air bête, il l'entendait
dire : « Tu n'as pas honte, petit cochon ! » Il retom-
bait sur le siège, désespéré ! Au bout d'un moment,

il fut pris d'une violente diarrhée qui le soulagea un peu : « Ça s'en va par le bas, pensa-t-il, j'aime mieux ça. » De fait, il n'avait plus envie de vomir. « Il va me faire mal », pensa-t-il brusquement, et il crut qu'il allait s'évanouir. Lucien finit par avoir si froid qu'il se mit à claquer des dents : il pensa qu'il allait tomber malade et se leva brusquement. Quand il rentra, Bergère le regarda d'un air contraint ; il fumait une cigarette, son pyjama était ouvert et on voyait son torse maigre. Lucien ôta lentement ses pantoufles et sa robe de chambre, et se glissa sans mot dire sous la couverture : « Ça va ? » demanda Bergère. Lucien haussa les épaules : « J'ai froid ! — Tu veux que je te réchauffe ? — Essayez toujours », dit Lucien. A l'instant il se sentit écrasé par un poids énorme. Une bouche tiède et molle se colla contre la sienne, on aurait dit un bifteck cru. Lucien ne comprenait plus rien, il ne savait plus où il était et il étouffait à demi, mais il était content parce qu'il avait chaud. Il pensa à Mme Besse qui lui appuyait sa main sur le ventre en l'appelant « ma petite poupée », et à Hébrard qui l'appelait « grande asperche », et aux tubs qu'il prenait le matin, en s'imaginant que M. Bouffardier allait rentrer pour lui donner un lavement, et il se dit « je suis sa petite poupée ! » A ce moment, Bergère poussa un cri de triomphe. « Enfin ! dit-il, tu te décides. Allons, ajouta-t-il en soufflant, on fera quelque chose de toi. » Lucien tint à ôter lui-même son pyjama.

Le lendemain, ils se réveillèrent à midi. Le garçon leur porta leur petit déjeuner au lit, et Lucien trouva qu'il avait l'air rogue. « Il me prend pour une lope », pensa-t-il avec un frisson de désagrément. Bergère fut très gentil, il s'habilla le premier et alla fumer une cigarette sur la place du Vieux Marché pendant que

Lucien prenait son bain. « Ce qu'il y a, pensa Lucien en se frottant soigneusement au gant de crin, c'est que c'est ennuyeux. » Le premier moment de terreur passé, et quand il s'était aperçu que ça n'était pas si douloureux qu'il croyait, il avait sombré dans un morne ennui. Il espérait toujours que c'était fini et qu'il allait pouvoir dormir, mais Bergère ne l'avait pas laissé tranquille avant quatre heures du matin. « Il faudra tout de même que je finisse mon problème de trigo », se dit-il. Et il s'efforça de ne plus penser qu'à son travail. La journée fut longue. Bergère lui raconta la vie de Lautréamont, mais Lucien ne l'écouta pas très attentivement; Bergère l'agaçait un peu. Le soir, ils couchèrent à Caudebec et naturellement Bergère embêta Lucien pendant un bon moment, mais, vers une heure du matin, Lucien lui dit tout net qu'il avait sommeil et Bergère sans se fâcher lui ficha la paix. Ils rentrèrent à Paris vers la fin de l'après-midi. Somme toute Lucien n'était pas mécontent de lui-même.

Ses parents l'accueillirent à bras ouverts : « As-tu bien remercié M. Bergère au moins ? » demanda sa mère. Il resta un moment à bavarder avec eux sur la campagne normande et se coucha de bonne heure. Il dormit comme un ange, mais le lendemain, à son réveil, il lui sembla qu'il grelottait en dedans. Il se leva et se contempla longtemps dans la glace. « Je suis un pédéraste », se dit-il. Et il s'effondra. « Lève-toi, Lucien, cria sa mère à travers la porte, tu vas au lycée ce matin. — Oui, maman », répondit Lucien avec docilité, mais il se laissa tomber sur son lit et se mit à regarder ses orteils. « C'est trop injuste, je ne me rendais pas compte, moi, je n'ai pas d'expérience. » Ces orteils, un homme les avait sucés l'un après l'autre. Lucien

détourna la tête avec violence : « Il savait, lui. Ce qu'il
m'a fait faire porte un nom, ça s'appelle coucher avec
un homme et il le savait. » C'était marrant — Lucien
sourit avec amertume —, on pouvait, pendant des
journées entières, se demander : suis-je intelligent,
est-ce que je me gobe, on n'arrivait jamais à décider.
Et à côté de ça, il y avait des étiquettes qui s'accro-
chaient à vous un beau matin et il fallait les porter
toute sa vie : par exemple, Lucien était grand et blond,
il ressemblait à son père, il était fils unique et, depuis
hier, il était pédéraste. On dirait de lui : « Fleurier,
vous savez bien, ce grand blond qui aime les hommes ? »
Et les gens répondraient : « Ah! oui. La grande tan-
touse ? Très bien, je sais qui c'est. »

Il s'habilla et sortit, mais il n'eut pas le cœur
d'aller au lycée. Il descendit l'avenue de Lamballe
jusqu'à la Seine et suivit les quais. Le ciel était pur,
les rues sentaient la feuille verte, le goudron et le
tabac anglais. Un temps rêvé pour porter des vêtements propres sur un corps bien lavé avec une âme
toute neuve. Les gens avaient tous un air moral ;
Lucien, seul, se sentait louche et insolite dans ce
printemps. « C'est la pente fatale, songeait-il, j'ai
commencé par le complexe d'Œdipe, après ça je suis
devenu sadico-anal et maintenant, c'est le bouquet,
je suis pédéraste ; où est-ce que je vais m'arrêter ? »
Évidemment, son cas n'était pas encore très grave ;
il n'avait pas eu grand plaisir aux caresses de Bergère.
« Mais si j'en prends l'habitude ? pensa-t-il avec angoisse. Je ne pourrai plus m'en passer, ça sera comme
la morphine! » Il deviendrait un homme taré, personne ne voudrait plus le recevoir, les ouvriers de son
père rigoleraient quand il leur donnerait un ordre.
Lucien imagina avec complaisance son épouvan-

table destin. Il se voyait à trente-cinq ans, mignard
et fardé, et déjà un monsieur à moustache avec la
Légion d'honneur, levait sa canne d'un air terrible.
« Votre présence ici, monsieur, est une insulte pour
mes filles. » Lorsque soudain, il chancela et cessa
brusquement de jouer : il venait de se rappeler une
phrase de Bergère. C'était à Caudebec pendant la
nuit. Bergère avait dit : « Eh mais dis donc! tu y
prends goût! » Qu'avait-il voulu dire ? Naturellement,
Luien n'était pas de bois et à force d'être tripoté...
« Ça ne prouve rien », se dit-il avec inquiétude. Mais
on prétendait que ces gens-là étaient extraordinaires
pour repérer leurs pareils, c'était comme un sixième
sens. Lucien regarda longuement un sergent de ville
qui réglait la circulation devant le pont d'Iéna. « Est-
ce que cet agent pourrait m'exciter ? » Il fixait le
pantalon bleu de l'agent, il imaginait des cuisses
musculeuses et velues : « Est-ce que ça me fait
quelque chose ? » Il repartit très soulagé. « Ça n'est
pas si grave, pensa-t-il, je peux encore me sauver.
Il a abusé de mon désarroi, mais je ne suis pas *vraiment* pédéraste. » Il recommença l'expérience avec
tous les hommes qui le croisèrent, et chaque fois le
résultat était négatif. « Ouf! pensa-t-il, eh bien, j'ai
eu chaud! » C'était un avertissement, voilà tout. Il
ne fallait plus recommencer, parce qu'une mauvaise
habitude est vite prise et puis il fallait de toute ur-
gence qu'il se guérit de ses complexes. Il résolut de se
faire psychanalyser par un spécialiste sans le dire à
ses parents. Ensuite, il prendrait une maîtresse et
deviendrait un homme comme les autres.

Lucien commençait à se rassurer lorsqu'il pensa
tout à coup à Bergère : à ce moment même, Bergère
existait quelque part dans Paris, enchanté de lui-

même et la tête pleine de souvenirs : « Il sait comment je suis fait, il connaît ma bouche, il m'a dit : " Tu as une odeur que je n'oublierai pas " ; il ira se vanter à ses amis, en disant : " Je l'ai eu " comme si j'étais une gonzesse. A l'instant même, il est peut-être en train de raconter ses nuits à... — le cœur de Lucien cessa de battre — à Berliac! S'il fait ça, je le tue : Berliac me déteste, il le racontera à toute la classe, je suis un type coulé, les copains refuseront de me serrer la main. Je dirai que ça n'est pas vrai, se dit Lucien avec égarement, je porterai plainte, je dirai qu'il m'a violé! » Lucien haïssait Bergère de toutes ses forces : sans lui, sans cette conscience scandaleuse et irrémédiable, tout aurait pu s'arranger, personne n'aurait rien su et Lucien lui-même aurait fini par l'oublier. « S'il pouvait mourir subitement! Mon Dieu, je vous en prie, faites qu'il soit mort cette nuit avant d'avoir rien dit à personne. Mon Dieu, faites que cette histoire soit enterrée, vous ne pouvez pas vouloir que je devienne un pédéraste! En tout cas, il me tient! pensa Lucien avec rage. Il va falloir que je retourne chez lui et que je fasse tout ce qu'il veut et que je lui dise que j'aime ça, sinon je suis perdu! » Il fit encore quelques pas et ajouta, par mesure de précaution : « Mon Dieu, faites que Berliac meure aussi. »

Lucien ne put prendre sur lui de retourner chez Bergère. Pendant les semaines qui suivirent, il croyait le rencontrer à chaque pas et, quand il travaillait dans sa chambre, il sursautait aux coups de sonnette ; la nuit, il avait des cauchemars épouvantables : Bergère le prenait de force au milieu de la cour du lycée Saint-Louis, tous les pistons étaient là et ils regardaient en rigolant. Mais Bergère ne fit aucune tentative pour le

revoir et ne donna pas signe de vie. « Il n'en voulait
qu'à ma peau », pensa Lucien, vexé. Berliac avait
disparu, lui aussi et Guigard qui allait parfois aux
courses avec lui le dimanche, affirmait qu'il avait
quitté Paris à la suite d'une crise de dépression nerveuse. Lucien se calma peu à peu : son voyage à Rouen
lui faisait l'effet d'un rêve obscur et grotesque qui ne
se rattachait à rien ; il en avait oublié presque tous les
détails, il gardait seulement l'impression d'une morne
odeur de chair et d'eau de Cologne et d'un intolérable
ennui. M. Fleurier demanda plusieurs fois ce que devenait l'ami Bergère : « Il faudra que nous l'invitions
à Férolles pour le remercier. — Il est parti pour New
York », finit par répondre Lucien. Il alla plusieurs fois
canoter sur la Marne avec Guigard et sa sœur, et
Guigard lui apprit à danser. « Je me réveille, pensait-
il, je renais. » Mais il sentait encore assez souvent
quelque chose qui pesait sur son dos comme une
besace : c'étaient ses complexes ; il se demanda s'il
ne devrait pas aller trouver Freud à Vienne : « Je
partirai sans argent, à pied s'il le faut, je lui dirai : je
n'ai pas le sou mais je suis un cas. » Par un chaud
après-midi de juin, il rencontra sur le boulevard Saint-
Michel, le Babouin, son ancien prof de philo. « Alors,
Fleurier, dit le Babouin, vous préparez Centrale ? —
Oui, monsieur, dit Lucien. — Vous auriez pu, dit le
Babouin, vous orienter vers les études littéraires.
Vous étiez bon en philosophie. — Je n'ai pas aban-
donné la philo, dit Lucien. J'ai fait des lectures cette
année. Freud, par exemple. A propos, ajouta-t-il,
pris d'une inspiration, je voulais vous demander,
monsieur : que pensez-vous de la psychanalyse ? »
Le Babouin se mit à rire : « C'est une mode, dit-il,
qui passera. Ce qu'il y a de meilleur chez Freud,

vous le trouvez déjà chez Platon. Pour le reste, ajouta-t-il d'un ton sans réplique, je vous dirai que je ne coupe pas dans ces fariboles. Vous feriez mieux de lire Spinoza. » Lucien se sentit délivré d'un fardeau énorme et il rentra chez lui à pied, en sifflotant : « C'était un cauchemar, pensa-t-il, mais il n'en reste plus rien! » Le soleil était dur et chaud ce jour-là, mais Lucien leva la tête et le fixa sans cligner des yeux : c'était le soleil de tout le monde et Lucien avait le droit de le regarder en face ; il était sauvé! « Des fariboles! pensait-il, c'étaient des fariboles! Ils ont essayé de me détraquer, mais ils ne m'ont pas eu. » En fait, il n'avait cessé de résister : Bergère l'avait emberlificoté dans ses raisonnements, mais Lucien avait bien senti par exemple, que la pédérastie de Rimbaud était une tare, et, quand cette petite crevette de Berliac avait voulu lui faire fumer du haschich, Lucien l'avait proprement envoyé promener : « J'ai failli me perdre, pensa-t-il, mais ce qui m'a protégé c'est ma santé morale! » Le soir, au dîner, il regarda son père avec sympathie. M. Fleurier était carré d'épaules, il avait les gestes lourds et lents d'un paysan, avec quelque chose de racé et les yeux gris, métalliques et froids d'un chef. « Je lui ressemble », pensa Lucien. Il se rappela que les Fleurier de père en fils, étaient chefs d'industrie depuis quatre générations : « On a beau dire, la famille ça existe! » Et il pensa avec orgueil à la santé morale des Fleurier.

Lucien ne se présenta pas, cette année-là, au concours de l'École centrale, et les Fleurier partirent très tôt pour Férolles. Il fut enchanté de retrouver la maison, le jardin, l'usine, la petite ville calme et équilibrée. C'était un autre monde : il décida de se lever de bon matin pour faire de grandes promenades dans la région. « Je veux, dit-il à son père, m'emplir les poumons d'air pur et faire provision de santé pour l'an prochain, avant le grand coup de collier. » Il accompagna sa mère chez les Bouffardier et chez les Besse, et tout le monde trouva qu'il était devenu un grand garçon raisonnable et posé. Hébrard et Winckelmann qui suivaient des cours de droit à Paris, étaient revenus à Férolles pour les vacances. Lucien sortit plusieurs fois avec eux, et ils parlèrent des farces qu'ils faisaient à l'abbé Jacquemart, de leurs bonnes balades en vélo et chantèrent l'*Artilleur de Metz* à trois voix. Lucien appréciait vivement la franchise rude et la solidité de ses anciens camarades, et il se reprocha de les avoir négligés. Il avoua à Hébrard qu'il n'aimait guère Paris, mais Hébrard ne pouvait pas le comprendre : ses parents l'avaient confié à un abbé et il était très tenu ; il restait encore ébloui de ses visites au musée du Louvre et de la soirée qu'il avait passée à l'Opéra. Lucien fut attendri par cette simplicité ; il se sentait le frère aîné d'Hébrard et de Winckelmann, et il commença à se dire qu'il ne regrettait pas d'avoir eu une vie si tourmentée : il y avait gagné de l'expérience. Il leur parla de Freud et de la psychanalyse, et s'amusa un peu à les scandaliser. Ils critiquèrent violemment la théorie des complexes mais leurs objections étaient naïves, et Lucien le leur montra, puis il ajouta qu'en se plaçant à un point de vue philosophique on pouvait aisément réfuter les erreurs de Freud. Ils l'admirèrent beaucoup, mais Lucien fit semblant de ne pas s'en apercevoir.

M. Fleurier expliqua à Lucien le mécanisme de l'usine. Il l'emmena visiter les bâtiments centraux, et Lucien observa longuement le travail des ouvriers. « Si je mourais, dit M. Fleurier, il faudrait que tu

puisses prendre du jour au lendemain toutes les
commandes de l'usine. « Lucien le gronda et lui dit :
« Mon vieux papa, veux-tu bien ne pas parler de cela! »
Mais il fut grave plusieurs jours de suite en pensant
aux responsabilités qui lui incomberaient tôt ou tard.
Ils eurent de longues conversations sur les devoirs du
patron, et M. Fleurier lui montra que la propriété
n'était pas un droit mais un devoir : « Qu'est-ce qu'ils
viennent nous embêter avec leur lutte de classes, dit-
il, comme si les intérêts des patrons et des ouvriers
étaient opposés! Prends mon cas, Lucien. Je suis un
petit patron, ce qu'on appelle un margoulin dans l'argot
parisien. Eh bien, je fais vivre cent ouvriers avec leur
famille. Si je fais de bonnes affaires, ils sont les premiers à en profiter. Mais si je suis obligé de fermer
l'usine, les voilà sur le pavé. *Je n'ai pas le droit*, dit-il
avec force, de faire de mauvaises affaires. Voilà ce que
j'appelle, moi, la solidarité des classes. »

Pendant plus de trois semaines, tout alla bien ; il ne
pensait presque plus jamais à Bergère ; il lui avait par-
donné : il espérait simplement ne plus le revoir de sa
vie. Quelquefois, quand il changeait de chemise, il
s'approchait de la glace et s'y regardait avec étonnement : « Un homme a désiré ce corps », pensait-il. Il
promenait lentement les mains sur ses jambes et pensait : « Un homme a été troublé par ces jambes. » Il
touchait ses reins et regrettait de ne pas être un autre
pour pouvoir se caresser à sa propre chair comme à
une étoffe de soie. Il lui arrivait parfois de regretter
ses complexes : ils étaient solides, ils pesaient lourd,
leur énorme masse sombre le lestait. A présent, c'était
fini, Lucien n'y croyait plus et il se sentait d'une légè-
reté pénible. Ça n'était pas tellement désagréable,
d'ailleurs, c'était plutôt une sorte de désenchantement

très supportable, un peu écœurant, qui pouvait, à la
rigueur, passer pour de l'ennui. « Je ne suis rien, pensait-il, mais c'est parce que rien ne m'a sali. Berliac,
lui, est salement engagé. Je peux bien supporter un
peu d'incertitude : c'est la rançon de la pureté. »

Au cours d'une promenade, il s'assit sur un talus et
pensa : « J'ai dormi six ans et puis, un beau jour, je
suis sorti de mon cocon. » Il était tout animé et regarda le paysage d'un air affable. « Je suis fait pour
l'action! » se dit-il. Mais à l'instant ses pensées de
gloire tournèrent au fade. Il dit à mi-voix : « Qu'ils
attendent un peu et ils verront ce que je vaux. » Il
avait parlé avec force, mais les mots roulèrent hors
de lui comme des coquilles vides. « Qu'est-ce que
j'ai ? » Cette drôle d'inquiétude il ne *voulait* pas la
reconnaître, elle lui avait fait trop de mal, autrefois.
Il pensa : « C'est ce silence... ce pays... » Pas un être
vivant, sauf des grillons qui traînaient péniblement
dans la poussière leurs abdomens jaunes et noirs. Lucien détestait les grillons parce qu'ils avaient toujours
l'air à moitié crevés. De l'autre côté de la route, une
lande grisâtre, accablée, crevassée se laissait glisser
jusqu'à la rivière. Personne ne voyait Lucien, personne ne l'entendait ; il sauta sur ses pieds et il eut
l'impression que ses mouvements ne rencontraient
aucune résistance, pas même celle de la pesanteur. A
présent, il était debout, sous un rideau de nuages gris ;
c'était comme s'il existait dans le vide. « Ce silence... »,
pensa-t-il. C'était plus que du silence, c'était du néant.
Autour de Lucien, la campagne était extraordinaire-
ment tranquille et molle, inhumaine : il semblait
qu'elle se faisait toute petite et retenait son souffle
pour ne pas le déranger. « Quand l'artilleur de Metz
revint en garnison... » Le son s'éteignit sur ses lèvres

comme une flamme dans le vide : Lucien était seul,
sans ombre, sans écho, au milieu de cette nature trop
discrète, qui ne pesait pas. Il se secoua et tenta de
reprendre le fil de ses pensées. « Je suis fait pour
l'action. D'abord j'ai du ressort : je peux faire des
sottises, mais ça ne va pas loin parce que je me re-
prends. » Il pensa : « J'ai de la santé morale. » Mais
il s'arrêta en faisant une grimace de dégoût, tant ça
lui paraissait absurde de parler de « santé morale »
sur cette route blanche que traversaient des bêtes
agonisantes. De colère, Lucien marcha sur un grillon ; il
sentit sous sa semelle une petite boulette élastique, et,
quand il leva le pied, le grillon vivait encore : Lucien
lui cracha dessus. « Je suis perplexe. Je suis perplexe.
C'est comme l'an dernier. » Il se mit à penser à Winckelmann qui l'appelait « l'as des as », à M. Fleurier
qui le traitait en homme, à Mme Besse qui lui avait
dit : « C'est ce grand garçon-là que j'appelais ma
petite poupée, je n'oserais plus le tutoyer à présent,
il m'intimide. » Mais ils étaient loin, très loin, et il lui
sembla que le vrai Lucien était perdu, il n'y avait
qu'une larve blanche et perplexe. « Qu'est-ce que
je suis ? » Des kilomètres et des kilomètres de lande,
un sol plat et gercé, sans herbes, sans odeurs et puis,
tout d'un coup, sortant droite de cette croûte grise,
l'asperge, tellement insolite qu'il n'y avait même pas
d'ombre derrière elle. « Qu'est-ce que je suis ? » La
question n'avait pas changé depuis les vacances précédentes, on aurait dit qu'elle attendait Lucien à l'endroit même où il l'avait laissée ; ou plutôt ça n'était
pas une question, c'était un état. Lucien haussa les
épaules. « Je suis trop scrupuleux, pensa-t-il, je m'ana-
lyse trop. »

Les jours suivants, il s'efforça de ne plus s'analyser :

il aurait voulu se fasciner sur les choses, il contemplait
longuement les coquetiers, les ronds de serviette,
les arbres, les devantures ; il flatta beaucoup sa mère
en lui demandant si elle voulait bien lui montrer son
argenterie. Mais pendant qu'il regardait l'argenterie,
il pensait qu'il regardait l'argenterie et, derrière son
regard, un petit brouillard vivant palpitait. Et Lucien avait beau s'absorber dans une conversation avec
M. Fleurier, ce brouillard abondant et ténu, dont
l'inconsistance opaque ressemblait faussement à de la
lumière, se glissait *derrière* l'attention qu'il prêtait
aux paroles de son père : ce brouillard, c'était lui-
même. De temps à autre, agacé, Lucien cessait d'écouter, il se retournait, essayait d'attraper le brouillard et
de le regarder en face : il ne rencontrait que le vide,
le brouillard était encore *derrière*.

Germaine vint trouver Mme Fleurier, en larmes :
son frère avait une broncho-pneumonie. « Ma pauvre
Germaine, dit Mme Fleurier, vous qui disiez toujours
qu'il était si solide! » Elle lui accorda un mois de
vacances et fit venir, pour la remplacer, la fille d'un
ouvrier de l'usine, la petite Berthe Mozelle, qui avait
dix-sept ans. Elle était petite avec des nattes blondes
enroulées autour de la tête ; elle boitait légèrement.
Comme elle venait de Concarneau, Mme Fleurier la
pria de porter une coiffe de dentelles : « ça sera plus
gentil ». Dès les premiers jours, ses grands yeux bleus
chaque fois qu'elle rencontrait Lucien, reflétaient une
admiration humble et passionnée, et Lucien comprit
qu'elle l'adorait. Il lui parla familièrement et lui demanda plusieurs fois : « Est-ce que vous vous plaisez
chez nous ? » Dans les couloirs il s'amusait à la frôler
pour voir si ça lui faisait de l'effet. Mais elle l'atten-
drissait, et il puisa dans cet amour un précieux récon-

fort ; il pensait souvent avec une pointe d'émotion à l'image que Berthe devait se faire de lui. « Par le fait je ne ressemble guère aux jeunes ouvriers qu'elle fréquente. » Il fit entrer Winckelmann à l'office sous un prétexte, et Winckelmann trouva qu'elle était bien roulée : « Tu es un petit veinard, conclut-il, à ta place je me l'enverrais. » Mais Lucien hésitait : elle sentait la sueur, et sa chemisette noire était rongée sous les bras. Par un pluvieux après-midi de septembre, Mme Fleurier se fit conduire à Paris en auto, et Lucien resta seul dans sa chambre. Il se coucha sur son lit et se mit à bâiller. Il lui semblait être un nuage capricieux et fugace, toujours le même et toujours autre, toujours en train de se diluer dans les airs par les bords. « Je me demande pourquoi j'existe ? » Il était là, il digérait, il bâillait, il entendait la pluie qui tapait contre les vitres, il y avait cette brume blanche qui s'effilochait dans sa tête : et puis après ? Son existence était un scandale et les responsabilités qu'il assumerait plus tard suffiraient à peine à la justifier. « Après tout, je n'ai pas demandé à naître », se dit-il. Et il eut un mouvement de pitié pour lui-même. Il se rappela ses inquiétudes d'enfant, sa longue somnolence, et elles lui apparurent sous un jour neuf : au fond, il n'avait cessé d'être embarrassé de sa vie, de ce cadeau volumineux et inutile, et il l'avait portée dans ses bras sans savoir qu'en faire ni où la déposer. « J'ai passé mon temps à regretter d'être né. » Mais il était trop déprimé pour pousser plus loin ses pensées : il se leva, alluma une cigarette et descendit à la cuisine pour demander à Berthe de faire un peu de thé.

Elle ne le vit pas entrer. Il lui toucha l'épaule, et elle sursauta violemment. « Je vous ai fait peur ? » demanda-t-il. Elle le regardait d'un air épouvanté en

s'appuyant des deux mains à la table, et sa poitrine se
soulevait ; au bout d'un moment, elle sourit et dit :
« Ça m'a fait un coup, je ne croyais pas qu'il y avait
personne. » Lucien lui rendit son sourire avec indulgence et lui dit : « Vous seriez bien gentille de me
préparer un peu de thé. — Tout de suite, monsieur Lucien », répondit la petite, et elle s'enfuit vers son fourneau : la présence de Lucien semblait lui être pénible.
Lucien demeurait sur le pas de la porte, incertain. « Eh
bien, demanda-t-il paternellement, est-ce que vous
vous plaisez chez nous ? » Berthe lui tournait le dos et
remplissait une casserole au robinet. Le bruit de l'eau
couvrit sa réponse. Lucien attendit un moment et,
quand elle eut posé la casserole sur le fourneau à
gaz, il reprit : « Avez-vous déjà fumé ? — Des fois »,
répondit la petite avec méfiance. Il ouvrit son paquet
de Craven et le lui tendit. Il n'était pas trop content :
il lui semblait qu'il se compromettait ; il n'aurait pas
dû la faire fumer. « Vous voulez... que je fume ? dit-
elle surprise. — Pourquoi pas ? — Madame va me dis-
puter. » Lucien eut une impression désagréable de
complicité. Il se mit à rire et dit : « Nous ne lui dirons
pas. » Berthe rougit, prit une cigarette du bout des
doigts et la planta dans sa bouche. « Dois-je lui offrir
du feu ? Ce serait incorrect. » Il lui dit : « Eh bien, vous
ne l'allumez pas ? » Elle l'agaçait ; elle restait là, les
bras raides, rouge et docile, les lèvres en cul de poule
autour de la cigarette ; on aurait dit qu'elle s'était
enfoncé un thermomètre dans la bouche. Elle finit
par prendre une allumette soufrée dans une boîte
de fer-blanc, la gratta, fuma quelques bouffées en clignant des yeux et dit : « C'est doux », puis elle sortit
précipitamment la cigarette de sa bouche et la serra
gauchement entre les cinq doigts. « C'est une victime-

née », pensa Lucien. Pourtant, elle se dégela un peu quand il lui demanda si elle aimait sa Bretagne, elle lui décrivit les différentes sortes de coiffes bretonnes et même elle chanta d'une voix douce et fausse une chanson de Rosporden. Lucien la taquina gentiment, mais elle ne comprenait pas la plaisanterie et le regardait d'un air effaré : à ces moments-là, elle ressemblait à un lapin. Il s'était assis sur un escabeau et se sentait tout à fait à l'aise : « Asseyez-vous donc », lui dit-il. « Oh! non, monsieur Lucien, pas devant monsieur Lucien. » Il la prit par les aisselles et l'attira sur ses genoux : « Et comme ça ? » lui demanda-t-il. Elle se laissa faire en murmurant : « Sur vos genoux! » d'un air d'extase et de reproche avec un drôle d'accent, et Lucien pensa avec ennui : « Je m'engage trop, je n'aurais jamais dû aller si loin. » Il se tut : elle restait sur ses genoux, toute chaude, bien tranquille, mais Lucien sentait son cœur battre. « Elle est ma chose, pensa-t-il, je peux en faire tout ce que je veux. » Il la lâcha, prit la théière et remonta dans sa chambre : Berthe ne fit pas un geste pour le retenir. Avant de boire son thé, Lucien se lava les mains avec le savon parfumé de sa mère, parce qu'elles sentaient les aisselles.

« Est-ce que je vais coucher avec elle ? » Lucien fut très absorbé, les jours suivants, par ce petit problème ; Berthe se mettait tout le temps sur son passage et le regardait avec de grands yeux tristes d'épagneul. La morale l'emporta : Lucien comprit qu'il risquait de la rendre enceinte parce qu'il n'avait pas assez d'expérience (impossible d'acheter des préservatifs à Férolles, il était trop connu) et qu'il attirerait de gros ennuis à M. Fleurier. Il se dit aussi qu'il aurait, plus tard, moins d'autorité dans l'usine si la fille d'un de ses ouvriers pouvait se vanter d'avoir couché avec lui.

« Je n'ai pas le droit de la toucher. » Il évita de se trouver seul avec Berthe pendant les derniers jours de septembre. « Alors, lui dit Winckelmann, qu'est-ce que tu attends ? — Je ne marche pas, répondit sèchement Lucien, j'aime pas les amours ancillaires. » Winckelmann, qui entendait parler d'amours ancillaires pour la première fois, émit un léger sifflement et se tut.

Lucien était très satisfait de lui-même : il s'était conduit comme un chic type, et cela rachetait bien des erreurs. « Elle était à cueillir », se disait-il avec un peu de regret. Mais, à la réflexion, il pensa : « C'est comme si je l'avais eue : elle s'est offerte et je n'en ai pas voulu. » Et il considéra désormais qu'il n'était plus vierge. Ces légères satisfactions l'occupèrent quelques jours puis elles fondirent en brume elles aussi. A la rentrée d'octobre, il se sentait aussi morne qu'au début de la précédente année scolaire.

Berliac n'était pas revenu, et personne n'avait de ses nouvelles. Lucien remarqua plusieurs visages inconnus : son voisin de droite qui s'appelait Lemordant avait fait une année de mathématiques spéciales à Poitiers. Il était encore plus grand que Lucien et, avec sa moustache noire, avait déjà l'allure d'un homme. Lucien retrouva sans plaisir ses camarades, ils lui semblèrent puérils et innocemment bruyants : des séminaristes. Il s'associait encore à leurs manifestations collectives mais avec nonchalance, comme le lui permettait d'ailleurs sa qualité de « carré ». Lemordant l'aurait attiré davantage parce qu'il était mûr ; mais il ne paraissait pas avoir acquis, comme Lucien, cette maturité à travers de multiples et pénibles expériences : c'était un adulte de naissance. Lucien contemplait souvent avec une pleine satisfaction cette tête volumineuse et pensive, sans cou, plantée de biais dans les épaules : il semblait impossible d'y faire rien entrer, ni par les oreilles, ni par ses petits yeux chinois, roses et vitreux : « C'est un type qui a des convictions », pensait Lucien avec respect ; et il se demandait non sans jalousie quelle pouvait être cette certitude qui donnait à Lemordant une si pleine conscience de soi. « Voilà comme je devrais être : un roc. » Il était tout de même un peu surpris que Lemordant fût accessible aux raisons mathématiques ; mais M. Husson le rassura quand il rendit les premiers devoirs : Lucien était septième et Lemordant avait obtenu la note cinq et le soixante-dix-huitième rang ; tout était dans l'ordre. Lemordant ne s'émut pas ; il semblait s'attendre au pis, et sa bouche minuscule, ses grosses joues jaunes et lisses n'étaient pas faites pour exprimer des sentiments ; c'était un Bouddha. On ne le vit en colère qu'une fois, ce jour où Loewy l'avait bousculé dans le vestiaire. Il émit d'abord une dizaine de petits grognements aigus, en battant des paupières : « En Pologne ! dit-il enfin, en Pologne ! sale Youpin et ne viens pas nous emmerder chez nous. » Il dominait Loewy de toute sa taille, et son buste massif vacillait sur ses longues jambes. Il finit par lui donner une paire de gifles, et le petit Loewy fit des excuses : l'affaire en resta là.

Le jeudi, Lucien sortait avec Guigard qui l'emmenait danser chez les amies de sa sœur. Mais Guigard finit par avouer que ces sauteries l'ennuyaient. « J'ai une amie, lui confia-t-il, elle est première chez Plisnier, rue Royale. Justement elle a une copine qui n'a personne : tu devrais venir avec nous samedi soir. » Lucien fit une scène à ses parents et obtint la permission de sortir tous les samedis ; on lui laisserait la

clef sous le paillasson. Il rejoignit Guigard vers neuf
heures dans un bar de la rue Saint-Honoré. « Tu verras,
dit Guigard, Fanny est charmante et puis ce qu'elle
a de bien, c'est qu'elle sait s'habiller. — Et la mienne ?
— Je ne la connais pas ; je sais qu'elle est petite main
et qu'elle vient d'arriver à Paris, elle est d'Angou-
lême. A propos, ajouta-t-il, ne fais pas de gaffe. Je
suis Pierre Daurat. Toi, comme tu es blond, j'ai dit
que tu avais du sang anglais, c'est mieux. Tu t'appelles
Lucien Bonnières. — Mais pourquoi ? demanda Lucien
intrigué. — Mon vieux, répondit Guigard, c'est un
principe. Tu peux faire ce que tu veux avec ces femmes-
là, mais il ne faut jamais dire ton nom. — Bon, bon !
dit Lucien et qu'est-ce que je fais, dans la vie ? —
Tu peux dire que tu es étudiant, ça vaut mieux, tu
comprends, ça les flatte, et puis tu n'es pas obligé de
les sortir coûteusement. Pour les frais, on partage,
naturellement ; mais, ce soir, tu me laisseras payer,
j'ai l'habitude : je te dirai lundi ce que tu me dois. »
Lucien pensa tout de suite que Guigard cherchait à
faire de petits bénéfices : « Ce que je suis devenu méfiant ! » pensa-t-il avec amusement. Fanny entra
presque aussitôt : c'était une grande fille brune et
maigre, avec de longues cuisses et un visage très fardé.
Lucien la trouva intimidante. « Voilà Bonnières, dont
je t'ai parlé, dit Guigard. — Enchantée, dit Fanny
d'un air myope. Voilà Maud, ma petite amie. » Lucien
vit une petite bonne femme sans âge coiffée d'un pot
de fleurs renversé. Elle n'était pas fardée et paraissait
grisâtre auprès de l'éclatante Fanny. Lucien fut amèrement déçu, mais il s'aperçut qu'elle avait une jolie
bouche — et puis, avec elle, il n'aurait pas besoin de
faire d'embarras. Guigard avait pris soin de régler
les bocks à l'avance, de sorte qu'il put profiter du

brouhaha de l'arrivée pour pousser gaiement les deux
jeunes filles vers la porte, sans leur laisser le temps de
consommer. Lucien lui en sut gré : M. Fleurier ne lui
donnait que cent vingt-cinq francs par semaine et,
avec cet argent, il fallait encore qu'il payât ses commu-
nications. La soirée fut très amusante ; ils allèrent
danser au Quartier latin, dans une petite salle chaude
et rose avec des coins d'ombre et où le cocktail coû-
tait cent sous. Il y avait beaucoup d'étudiants avec
des femmes dans le genre de Fanny mais moins bien.
Fanny fut superbe : elle regarda dans les yeux un
gros barbu qui fumait la pipe et elle dit très haut :
« J'ai horreur des gens qui fument la pipe au dancing. »
Le type devint cramoisi et remit sa pipe tout allumée
dans sa poche. Elle traitait Guigard et Lucien avec
un peu de condescendance et leur dit plusieurs fois :
« Vous êtes de sales gosses », d'un air maternel et gentil.
Lucien se sentait plein d'aisance et tout sucre ; il dit
à Fanny plusieurs petites choses amusantes et il souriait en les disant. Finalement, le sourire ne quitta
plus son visage et il sut trouver une voix raffinée avec
un rien de laisser aller et de courtoise tendresse nuancée
d'ironie. Mais Fanny lui parlait peu : elle prenait le
menton de Guigard dans sa main et tirait sur les ba-
joues pour faire saillir la bouche ; quand les lèvres
étaient toutes grosses et un peu baveuses, comme des
fruits gonflés de jus ou comme des limaces, elle les
léchait à petits coups en disant « Baby ». Lucien était
horriblement gêné et il trouvait Guigard ridicule :
Guigard avait du rouge à côté des lèvres et des traces
de doigts sur les joues. Mais la tenue des autres couples
était encore plus négligée : tout le monde s'embrassait ; de temps à autre, la dame du vestiaire passait
avec un petit panier et elle jetait des serpentins et des

boules multicolores en criant : « Olé, les enfants,
amusez-vous, riez, olé, olé! » et tout le monde riait.
Lucien finit par se rappeler l'existence de Maud et il
lui dit en souriant : « Regardez ces tourtereaux. »
Il désignait Guigard et Fanny et ajouta : « Nous autres,
nobles vieillards... » Il n'acheva pas sa phrase, mais
sourit si drôlement que Maud sourit aussi. Elle ôta
son chapeau, et Lucien vit avec plaisir qu'elle était
plutôt mieux que les autres femmes du dancing ;
alors il l'invita à danser et lui raconta les chahuts qu'il
faisait à ses professeurs, l'année de son baccalauréat.
Elle dansait bien, elle avait des yeux noirs et sérieux
et un air averti. Lucien lui parla de Berthe et lui dit
qu'il avait des remords. « Mais, ajouta-t-il, cela valait
mieux pour elle. » Maud trouva l'histoire de Berthe
poétique et triste, elle demanda combien Berthe gagnait chez les parents de Lucien. « Ça n'est pas toujours drôle pour une jeune fille, ajouta-t-elle, d'être
en condition. » Guigard et Fanny ne s'occupaient plus
d'eux, ils se caressaient, et le visage de Guigard était
tout mouillé. Lucien répétait de temps en temps :
« Regardez les tourtereaux, mais regardez-les! » et il
avait sa phrase prête. « Ils me donneraient envie d'en
faire autant. » Mais il n'osait pas la placer et se conten-
tait de sourire, puis il feignit que Maud et lui fussent
de vieux copains, dédaigneux de l'amour et il l'appela
« vieux frère » et fit le geste de lui frapper sur l'épaule.
Fanny tourna soudain la tête et les regarda avec surprise. « Alors, dit-elle, la petite classe, qu'est-ce que
vous faites? Embrassez-vous donc, vous en mourez
d'envie. » Lucien prit Maud dans ses bras ; il était un
peu gêné parce que Fanny les regardait : il aurait
voulu que le baiser fût long et réussi, mais il se demandait comment les gens faisaient pour respirer.

Finalement, ça n'était pas si difficile qu'il pensait, il suffisait d'embrasser de biais, pour dégager les narines. Il entendait Guigard qui comptait « un, deux..., trois..., quatre... » et il lâcha Maud à cinquante-deux. « Pas mal pour un début, dit Guigard ; mais je ferai mieux. » Lucien regarda son bracelet-montre et dut compter à son tour : Guigard lâcha la bouche de Fanny à la cent cinquante-neuvième seconde. Lucien était furieux et trouvait ce concours stupide. « J'ai lâché Maud par discrétion, pensa-t-il, mais ça n'est pas malin, une fois qu'on sait respirer on peut continuer indéfiniment. » Il proposa une seconde manche et la gagna. Quand ils eurent tous fini, Maud regarda Lucien et lui dit sérieusement : « Vous embrassez bien. » Lucien rougit de plaisir. « A votre service », répondit-il en s'inclinant. Mais il aurait tout de même préféré embrasser Fanny. Ils se quittèrent vers minuit et demi à cause du dernier métro. Lucien était tout joyeux ; il sauta et dansa dans la rue Raynouard, et il pensa : « L'affaire est dans le sac. » Les coins de sa bouche lui faisaient mal parce qu'il avait tant souri.

Il prit l'habitude de voir Maud le jeudi à six heures et le samedi soir. Elle se laissait embrasser, mais ne voulait pas se donner à lui. Lucien se plaignit à Guigard qui le rassura : « Ne t'en fais pas, dit Guigard, Fanny est sûre qu'elle couchera ; seulement elle est jeune et elle n'a eu que deux amants ; Fanny te recommande d'être très tendre avec elle. — Tendre ? dit Lucien. Tu te rends compte ? » Ils rirent tous deux, et Guigard conclut : « Faut ce qu'il faut, mon vieux. » Lucien fut très tendre. Il embrassait beaucoup Maud et lui disait qu'il l'aimait, mais à la longue c'était un peu monotone, et puis il n'était pas très fier de sortir avec elle : il aurait aimé lui donner des conseils sur

ses toilettes, mais elle était pleine de préjugés et se
mettait très vite en colère. Entre leurs baisers, ils
demeuraient silencieux, les yeux fixes en se tenant par
la main. « Dieu sait à quoi elle pense, avec des yeux
si sévères. » Lucien, lui, pensait toujours à la même
chose : à cette petite existence triste et vague qui
était la sienne, il se disait : « Je voudrais être Lemordant, en voilà un qui a trouvé sa voie! » A ces moments-là, il se voyait comme s'il était un autre : assis
près d'une femme qui l'aimait, la main dans sa main,
les lèvres encore humides de ses baisers et refusant
l'humble bonheur qu'elle lui offrait : seul. Alors il
serrait fortement les doigts de la petite Maud et les
larmes lui venaient aux yeux : il aurait voulu la
rendre heureuse.

Un matin de décembre, Lemordant s'approcha de
Lucien ; il tenait un papier. « Veux-tu signer ? demanda-t-il. — Qu'est-ce que c'est ? — C'est à cause des
youtres de Normale Sup ; ils ont envoyé à *L'Œuvre*
un torchon contre la préparation militaire obligatoire
avec deux cents signatures. Alors nous protestons ; il
nous faut au moins mille noms : on va faire donner
les cyrards, les flottards, les agro, les X, tout le gratin. »
Lucien se sentit flatté ; il demanda : « Ça va paraître ?
— Dans *L'Action*, sûrement. Peut-être aussi dans
L'Écho de Paris. » Lucien avait envie de signer sur-
le-champ, mais il pensa que ce ne serait pas sérieux.
Il prit le papier et le lut attentivement. Lemordant
ajouta : « Tu ne fais pas de politique, je crois ; c'est
ton affaire. Mais tu es Français, tu as le droit de dire ton
mot. » Quand il entendit « tu as le droit de dire ton
mot », Lucien fut traversé par une inexplicable et
rapide jouissance. Il signa. Le lendemain il acheta
L'Action Française, mais la proclamation n'y figurait

pas. Elle ne parut que le jeudi, Lucien la trouva en
seconde page sous ce titre : *La jeunesse de France
donne un bon direct dans les gencives de la Juiverie
internationale.* Son nom était là, condensé, définitif,
pas très loin de celui de Lemordant, presque aussi
étranger que ceux de Flèche et de Flipot qui l'entou-
raient ; il avait l'air habillé. « Lucien Fleurier, pensa-
t-il, un nom de paysan, un nom bien français. » Il lut
à haute voix toute la série des noms qui commen-
çaient par F, et quand ce fut le tour du sien, il le
prononça en faisant semblant de ne pas le reconnaître. Puis il fourra le journal dans sa poche et rentra
chez lui tout joyeux.

Ce fut lui qui alla, quelques jours plus tard, trouver
Lemordant. « Tu fais de la politique ? lui demanda-
t-il. — Je suis ligueur, dit Lemordant, est-ce que tu
lis quelquefois *L'Action* ? — Pas souvent, avoua Lucien, jusqu'ici ça ne m'intéressait pas, mais je crois
que je suis en train de changer. » Lemordant le regardait sans curiosité, de son air imperméable. Lucien
lui raconta, tout à fait en gros, ce que Bergère avait
appelé son « désarroi ». « D'où es-tu ? demanda Lemordant. — De Férolles. Mon père y a une usine. —
Combien de temps es-tu resté là-bas ? — Jusqu'en
seconde. — Je vois, dit Lemordant, eh bien, c'est
simple, tu es un déraciné. As-tu lu Barrès ? — J'ai lu
Colette Baudoche. — Ce n'est pas cela, dit Lemordant
avec impatience. Je vais t'apporter *Les Déracinés*,
cet après-midi : c'est ton histoire. Tu trouveras là
le mal et son remède. » Le livre était relié en cuir
vert. Sur la première page un « ex-libris André Lemordant » se détachait en lettres gothiques. Lucien fut surpris : il n'avait jamais songé que Lemordant pût avoir
un petit nom.

Il commença sa lecture avec beaucoup de méfiance :
tant de fois déjà on avait voulu l'expliquer ; tant de
fois on lui avait prêté des livres en lui disant : « Lis
ça, c'est tout à fait toi. » Lucien pensa, avec un sourire
un peu triste, qu'il n'était pas quelqu'un qu'on pût
démonter ainsi en quelques phrases. Le complexe
d'Œdipe, le Désarroi : quels enfantillages et comme
c'était loin, tout ça ! Mais, dès les premières pages,
il fut séduit : d'abord ça n'était pas de la psychologie
— Lucien en avait par-dessus la tête, de la psychologie — les jeunes gens dont parlait Barrès n'étaient
pas des individus abstraits, des déclassés comme Rimbaud ou Verlaine, ni des malades comme toutes ces
Viennoises désœuvrées qui se faisaient psychanalyser
par Freud. Barrès commençait par les placer dans
leur milieu, dans leur famille : ils avaient été bien
élevés, en province, dans de solides traditions ; Lucien
trouva que Sturel lui ressemblait. « C'est pourtant
vrai, se dit-il, je suis un déraciné. » Il pensa à la santé
morale des Fleurier, une santé qui ne s'acquiert qu'à
la campagne, à leur force physique (son grand-père
tordait un sou de bronze entre ses doigts) ; il se rappela avec émotion les aubes de Férolles : il se levait,
il descendait à pas de loup pour ne pas réveiller ses
parents, il enfourchait sa bicyclette et le doux paysage
d'Ile-de-France l'enveloppait de sa discrète caresse.
« J'ai toujours détesté Paris », pensa-t-il avec force.
Il lut aussi *Le Jardin de Bérénice* et, de temps à autre,
il interrompait sa lecture et se mettait à réfléchir, les
yeux dans le vague : voilà donc que, de nouveau, on
lui offrait un caractère et un destin, un moyen d'échapper aux bavardages intarissables de sa conscience, une
méthode pour se définir et s'apprécier. Mais combien
il préférait aux bêtes immondes et lubriques de Freud,

l'inconscient plein d'odeurs agrestes dont Barrès lui faisait cadeau. Pour le saisir, Lucien n'avait qu'à se détourner d'une stérile et dangereuse contemplation de soi-même : il fallait qu'il étudiât le sol et le sous-sol de Férolles, qu'il déchiffrât le sens des collines onduleuses qui descendent jusqu'à la Sernette, qu'il s'adressât à la géographie humaine et à l'histoire. Ou bien, tout simplement, il devait retourner à Férolles, y vivre : il le trouverait à ses pieds, inoffensif et fertile, étendu à travers la campagne férollienne, mêlé aux bois, aux sources, à l'herbe, comme un humus nourrissant où Lucien puiserait enfin la force de devenir un chef. Lucien sortait très exalté de ces longues songeries et même, de temps à autre, il avait l'impression d'avoir trouvé sa voie. A présent, quand il demeurait silencieux près de Maud, un bras passé autour de sa taille, des mots, des bribes de phrases résonnaient en lui : « renouer la tradition », « la terre et les morts » ; mots profonds et opaques, inépuisables. « Comme c'est tentant », pensait-il. Pourtant, il n'osait y croire : trop souvent déjà, on l'avait déçu. Il s'ouvrit de ses craintes à Lemordant : « Ce serait trop beau. — Mon cher, répondit Lemordant, on ne croit pas tout de suite ce qu'on veut : il faut des pratiques. » Il réfléchit un peu et dit : « Tu devrais venir avec nous. » Lucien accepta de grand cœur, mais il tint à préciser qu'il gardait sa liberté : « Je viens, dit-il, mais ça ne m'engage pas. Je veux voir et réfléchir. »

Lucien fut charmé par la camaraderie des jeunes camelots ; ils lui firent un accueil cordial et simple, et, tout de suite, il se sentit à l'aise au milieu d'eux. Il connut bientôt la « bande » de Lemordant, une vingtaine d'étudiants qui portaient presque tous le béret de velours. Ils tenaient leurs assises au premier étage

de la brasserie *Polder* où ils jouaient au bridge et au
billard. Lucien allait souvent les y retrouver et bientôt
il comprit qu'ils l'avaient adopté, car il était toujours
reçu aux cris de : « Voilà le plus beau! » ou « C'est
notre Fleurier national! » Mais c'était leur bonne humeur qui séduisait surtout Lucien : rien de pédant
ni d'austère ; peu de conversations politiques. On
riait, et on chantait, voilà tout, on poussait des gueu-
lantes ou bien on battait des bans en l'honneur de la
jeunesse estudiantine. Lemordant lui-même, sans se
départir d'une autorité que personne n'aurait osé lui
contester, se détendait un peu, se laissait aller à sourire. Lucien, le plus souvent, se taisait, son regard
errait sur ces jeunes gens bruyants et musclés : « C'est
une force », pensait-il. Au milieu d'eux il découvrait
peu à peu le véritable sens de la jeunesse : il ne rési-
dait plus dans la grâce affectée qu'appréciait un Bergère ; la jeunesse, c'était l'avenir de la France. Les
camarades de Lemordant, d'ailleurs, n'avaient pas
le charme trouble de l'adolescence : c'étaient des
adultes et plusieurs portaient la barbe. A les bien regarder, on trouvait en eux tous un air de parenté : ils
en avaient fini avec les errements et les incertitudes
de leur âge, ils n'avaient plus rien à apprendre, ils
étaient faits. Au début, leurs plaisanteries légères et
féroces scandalisaient un peu Lucien : on aurait pu
les croire inconscients. Quand Rémy vint annoncer
que Mme Dubus, la femme du leader radical, avait eu
les jambes coupées par un camion, Lucien s'attendait
d'abord à ce qu'ils rendissent un bref hommage à un
adversaire malheureux. Mais ils éclatèrent tous de
rire et se frappèrent sur les cuisses en disant : « La
vieille charogne! » et « Estimable camionneur! » Lucien fut un peu contraint, mais il comprit tout à coup

que ce grand rire purificateur était un refus : ils
avaient flairé un danger, ils n'avaient pas voulu d'un
lâche apitoiement et ils s'étaient fermés. Lucien se
mit à rire aussi. Peu à peu, leur espièglerie lui apparut
sous son véritable jour : elle n'avait que les dehors
de la frivolité ; au fond, c'était l'affirmation d'un
droit : leur conviction était si profonde, si religieuse,
qu'elle leur donnait le droit de paraître frivole, d'envoyer promener d'une boutade, d'une pirouette, tout
ce qui n'était pas l'essentiel. Entre l'humour glacé de
Charles Maurras et les plaisanteries de Desperreau,
par exemple (il traînait dans sa poche un vieux bout
de capote anglaise qu'il appelait le prépuce à Blum),
il n'y avait qu'une différence de degré. Au mois de
janvier, l'Université annonça une séance solennelle
au cours de laquelle le grade de « doctor honoris
causa » devait être conféré à deux minéralogistes sué-
dois. « Tu vas voir un beau chahut », dit Lemordant à
Lucien en lui remettant une carte d'invitation. Le
grand Amphithéâtre était bondé. Quand Lucien vit
entrer, aux sons de *La Marseillaise*, le président de la
République et le recteur, son cœur se mit à battre,
il eut peur pour ses amis. Presque aussitôt, quelques
jeunes gens se dressèrent dans les tribunes et se mirent
à crier. Lucien reconnut avec sympathie Rémy, rouge
comme une tomate, se débattant entre deux hommes
qui le tiraient par son veston et criant : « La France
aux Français. » Mais il se plut tout particulièrement à
voir un monsieur âgé qui soufflait, d'un air d'enfant
terrible, dans une petite trompette, « comme c'est
sain », pensa-t-il. Il goûtait vivement ce mélange ori-
ginal de gravité têtue et de turbulence qui donnait
aux plus jeunes cet air mûr et aux plus âgés cette
allure de diablotins. Lucien s'essaya bientôt, lui aussi,

à plaisanter. Il eut quelques succès et quand il disait d'Herriot : « S'il meurt dans son lit, celui-là, il n'y a plus de Bon Dieu », il sentait naître en lui une fureur sacrée. Alors il serrait les mâchoires et, pendant un moment, il se sentait aussi convaincu, aussi étroit, aussi puissant que Rémy ou que Desperreau. « Lemordant a raison, pensa-t-il, il faut des pratiques, tout est là. » Il apprit aussi à refuser la discussion : Guigard, qui n'était qu'un républicain, l'accablait d'objections. Lucien l'écoutait de bonne grâce, mais, au bout d'un moment, il se fermait. Guigard parlait toujours, mais Lucien ne le regardait même plus : il lissait le pli de son pantalon et s'amusait à faire des ronds avec la fumée de sa cigarette en dévisageant les femmes. Il entendait un peu, malgré tout, les objections de Guigard, mais elles perdaient brusquement leur poids et glissaient sur lui, légères et futiles. Guigard finissait par se taire, très impressionné. Lucien parla à ses parents de ses nouveaux amis, et M. Fleurier lui demanda s'il allait devenir camelot. Lucien hésita et dit gravement : « Je suis tenté, je suis vraiment tenté. — Lucien, je t'en prie, ne fais pas ça, dit sa mère, ils sont très agités, et un malheur est vite arrivé. Vois-tu qu'on te passe à tabac ou qu'on te mette en prison ? Et puis tu es beaucoup trop jeune pour faire de la politique. » Lucien ne lui répondit que par un sourire ferme, et M. Fleurier intervint : « Laisse-le faire, ma chérie, dit-il avec douceur, laisse-le suivre son idée ; il faut en avoir passé par là. » A dater de ce jour, il sembla à Lucien que ses parents le traitaient avec une certaine considération. Pourtant, il ne se décidait pas ; ces quelques semaines lui avaient beaucoup appris : il se représentait tour à tour la curiosité bienveillante de son père, les inquiétudes de Mme Fleurier, le respect naissant de Guigard, l'insistance de Lemordant, l'impatience de Rémy et il se disait en hochant la tête : « Ce n'est pas une petite affaire. » Il eut une longue conversation avec Lemordant, et Lemordant comprit très bien ses raisons, et lui dit de ne pas se presser. Lucien avait encore des crises de cafard : il avait l'impression de n'être qu'une petite transparence gélatineuse qui tremblotait sur la banquette d'un café, et l'agitation bruyante des camelots lui paraissait absurde. Mais, à d'autres moments, il se sentait dur et lourd comme une pierre et il était presque heureux.

Il était de mieux en mieux avec toute la bande. Il leur chanta *la Noce à Rebecca* que Hébrard lui avait apprise aux vacances précédentes, et tout le monde déclara qu'il avait été fort amusant. Lucien mis en verve fit plusieurs réflexions mordantes sur les juifs et parla de Berliac qui était si avare : « Je me disais toujours : mais pourquoi est-il si radin, ça n'est pas possible d'être aussi radin. Et puis un beau jour j'ai compris : il était de la tribu. » Tout le monde se mit à rire et une sorte d'exaltation s'empara de Lucien : il se sentait vraiment furieux contre les juifs et le souvenir de Berliac lui était profondément désagréable. Lemordant le regarda dans les yeux et lui dit : « Toi, tu es un pur. » Par la suite, on demandait souvent à Lucien : « Fleurier, dis-nous-en une bien bonne sur les youtres », et Lucien racontait des histoires juives qu'il tenait de son père ; il n'avait qu'à commencer sur un certain ton « un chour Léfy rengontre Plum... » pour mettre ses amis en joie. Un jour, Rémy et Patenôtre dirent qu'ils avaient croisé un juif algérien sur les bords de la Seine et qu'ils lui avaient fait une peur affreuse en s'avançant sur lui comme s'ils voulaient le jeter à l'eau : « Je me disais, conclut Rémy : quel dommage que Fleurier ne soit pas avec nous. — Ça vaut peut-être mieux, qu'il n'ait pas été là, interrompit Desperreau, parce que, lui, il aurait foutu le juif à l'eau pour de bon! » Lucien n'avait pas son pareil pour reconnaître un juif à vue de nez. Quand il sortait avec Guigard, il lui poussait le coude : « Ne te retourne pas tout de suite : le petit gros, derrière nous, c'en est un! — Pour ça, disait Guigard, tu as du flair! » Fanny, elle non plus, ne pouvait pas sentir les juifs ; ils montèrent tous les quatre dans la chambre de Maud un jeudi, et Lucien chanta *la Noce à Rebecca*. Fanny n'en pouvait plus, elle disait : « Arrêtez, arrêtez, je vais faire pipi dans mon pantalon » et, quand il eut fini, elle lui lança un regard heureux, presque tendre. A la brasserie *Polder*, on finit par monter un bateau à Lucien. Il se trouvait toujours quelqu'un pour dire négligemment : « Fleurier qui aime tant les juifs... » ou bien « Léon Blum, le grand ami de Fleurier... » et les autres attendaient dans le ravissement, en retenant leur souffle, la bouche ouverte. Lucien devenait rouge, il frappait sur la table en criant : « Sacré nom...! » et ils éclataient de rire, ils disaient : « Il a marché! il a marché! Il n'a pas marché : il a couru! »

Il les accompagnait souvent à des réunions politiques et il entendit le professeur Claude et Maxime Real del Sarte. Son travail souffrait un peu de ces obligations nouvelles, mais comme, en tout état de cause, Lucien ne pouvait compter, cette année-là, sur un succès au concours de Centrale, M. Fleurier se montra indulgent : « Il faut bien, dit-il à sa femme, que Lucien apprenne son métier d'homme. » Au sortir de ces réunions, Lucien et ses amis avaient la tête en feu et ils faisaient des gamineries. Une fois, ils étaient une dizaine et ils rencontrèrent un petit bon-

homme olivâtre qui traversait la rue Saint-André-des-
Arts en lisant *L'Humanité*. Ils le coincèrent contre un
mur, et Rémy lui ordonna : « Jette ce journal. » Le
petit type voulait faire des manières, mais Desperreau se glissa derrière lui et le ceintura pendant que
Lemordant, de sa poigne puissante, lui arrachait le
journal. C'était très amusant. Le petit homme, furi-
bond, donnait des coups de pied dans le vide en
criant : « Lâchez-moi, lâchez-moi » avec un drôle d'accent et Lemordant, très calme, déchirait le journal.
Mais quand Desperreau voulut lâcher son bonhomme,
les choses commencèrent à se gâter : l'autre se jeta sur
Lemordant et l'aurait frappé si Rémy ne lui avait
décoché à temps un bon coup de poing derrière
l'oreille. Le type alla dinguer contre le mur et les
regarda tous d'un air mauvais en disant : « Sales
Français ! — Répète ce que tu as dit », demanda froi-
dement Marchesseau. Lucien comprit qu'il allait y
avoir du vilain : Marchesseau n'entendait pas la plaisanterie quand il s'agissait de la France. « Sales
Français ! » dit le métèque. Il reçut une claque formidable et se jeta en avant, tête baissée en hurlant :
« Sales Français, sales bourgeois, je vous déteste, je
voudrais que vous creviez tous, tous, tous ! » et un
flot d'autres injures immondes et d'une violence que
Lucien n'aurait même pas pu imaginer. Alors ils
perdirent patience et furent obligés de s'y mettre un
peu tous, et de lui donner une bonne correction. Au bout
d'un moment, ils le lâchèrent, et le type se laissa aller
contre le mur ; il flageolait, un coup de poing lui avait
fermé l'œil droit, et ils étaient tous autour de lui, fati-
gués de frapper, attendant qu'il tombe. Le type
tordit la bouche et cracha : « Sales Français ! — Tu
veux qu'on recommence », demanda Desperreau, tout

essoufflé. Le type ne parut pas entendre : il les regardait avec défi de son œil gauche et répétait : « Sales Français, sales Français! » Il y eut un moment d'hésitation, et Lucien comprit que ses copains allaient abandonner la partie. Alors ce fut plus fort que lui, il bondit en avant et frappa de toutes ses forces. Il entendit quelque chose qui craquait, et le petit bonhomme le regarda d'un air veule et surpris : « Sales... » bafouilla-t-il. Mais son œil poché se mit à béer sur un globe rouge et sans prunelle ; il tomba sur les genoux et ne dit plus rien. « Foutons le camp », souffla Rémy. Ils coururent et ne s'arrêtèrent que sur la place Saint-Michel : personne ne les poursuivait. Ils arrangèrent leurs cravates et se brossèrent les uns les autres, du plat de la main.

La soirée s'écoula sans que les jeunes gens fissent allusion à leur aventure, et ils se montrèrent particulièrement gentils les uns pour les autres : ils avaient délaissé cette brutalité pudique qui leur servait, d'ordinaire, à voiler leurs sentiments. Ils se parlaient avec politesse, et Lucien pensa qu'ils se montraient, pour la première fois, tels qu'ils devaient être dans leurs familles ; mais il était lui-même très énervé : il n'avait pas l'habitude de se battre en pleine rue contre des voyous. Il pensa à Maud et à Fanny avec tendresse.

Il ne put trouver le sommeil. « Je ne peux pas continuer, pensa-t-il, à les suivre dans leurs équipées en amateur. A présent, tout est bien pesé, il *faut* que je m'engage! » Il se sentait grave et presque religieux quand il annonça la bonne nouvelle à Lemordant. « C'est décidé, lui dit-il, je suis avec vous. » Lemordant lui frappa sur l'épaule, et la bande fêta l'événement en buvant quelques bonnes bouteilles. Ils avaient repris leur ton brutal et gai et ne parlèrent pas de l'incident

de la veille. Comme ils allaient se quitter, Marchesseau dit simplement à Lucien : « Tu as un fameux
punch! » et Lucien répondit : « C'était un juif! »

Le surlendemain, Lucien vint trouver Maud avec
une grosse canne de jonc qu'il avait achetée dans un
magasin du boulevard Saint-Michel. Maud comprit
tout de suite : elle regarda la canne et dit : « Alors, ça
y est ? — Ça y est », dit Lucien en souriant. Maud
parut flattée ; personnellement, elle était plutôt favo-
rable aux idées de gauche, mais elle avait l'esprit
large. « Je trouve, disait-elle, qu'il y a du bon dans tous
les partis. » Au cours de la soirée, elle lui gratta plusieurs fois la nuque en l'appelant son petit camelot.
A peu de temps de là, un samedi soir, Maud se sentit
fatiguée : « Je crois que je vais rentrer, dit-elle, mais
tu peux monter avec moi, si tu es sage : tu me tien-
dras la main et tu seras bien gentil avec ta petite
Maud qui a si mal, tu lui raconteras des histoires. »
Lucien n'était guère enthousiaste : la chambre de
Maud l'attristait par sa pauvreté soigneuse ; on aurait
dit une chambre de bonne. Mais il aurait été criminel
de laisser passer une si belle occasion. A peine entrée,
Maud se jeta sur son lit en disant : « Houff! comme je
suis bien », puis elle se tut et fixa Lucien dans les yeux
en retroussant les lèvres. Il vint s'étendre près d'elle,
et elle se mit la main sur les yeux en écartant les doigts
et en disant d'une voix enfantine : « Coucou, je te
vois, tu sais, Lucien, je te vois! » Il se sentait lourd
et mou, elle lui mit les doigts dans la bouche et il les
suça, puis il lui parla tendrement, il lui dit : « La
petite Maud est malade, qu'elle a donc du malheur, la
pauvre petite Maud! » et il la caressa par tout le corps ;
elle avait fermé les yeux et elle souriait mystérieuse-
ment. Au bout d'un moment, il avait relevé la jupe

de Maud et il se trouva qu'ils faisaient l'amour ;
Lucien pensa : « Je suis doué. » « Eh bien, dit Maud
quand ils eurent fini, si je m'attendais à ça ! » Elle
regarda Lucien avec un tendre reproche : « Grand
vilain, je croyais que tu serais sage ! » Lucien dit qu'il
avait été aussi surpris qu'elle. « Ça s'est fait comme
ça », dit-il. Elle réfléchit un peu et lui dit sérieusement :
« Je ne regrette rien. Avant c'était peut-être plus pur,
mais c'était moins complet. »

« J'ai une maîtresse », pensa Lucien dans le métro.
Il était vide et las, imprégné d'une odeur d'absinthe et
de poisson frais ; il alla s'asseoir en se tenant raide
pour éviter le contact de sa chemise trempée de sueur ;
il lui semblait que son corps était en lait caillé. Il se
répéta avec force : « J'ai une maîtresse », mais il se
sentait frustré : ce qu'il avait désiré de Maud, la
veille encore, c'était son visage étroit et fermé, qui
avait l'air habillé, sa mince silhouette, son allure de
dignité, sa réputation de fille sérieuse, son mépris du
sexe masculin, tout ce qui faisait d'elle une personne
étrangère, vraiment *une autre*, dure et définitive, toujours hors d'atteinte, avec ses petites pensées propres,
ses pudeurs, ses bas de soie, sa robe de crêpe, sa perma-
nente. Et tout ce vernis avait fondu sous son étreinte,
il était resté de la chair, il avait approché ses lèvres
d'un visage sans yeux, nu comme un ventre, il avait
possédé une grosse fleur de chair mouillée. Il revit
la bête aveugle qui palpitait dans les draps avec des
clapotis et des bâillements velus et il pensa : c'était
nous deux. Ils n'avaient fait qu'un, il ne pouvait plus
distinguer sa chair de celle de Maud, personne ne lui
avait jamais donné cette impression d'écœurante intimité, sauf peut-être Riri, quand Riri montrait son
pipi derrière un buisson ou quand il s'était oublié et

qu'il restait couché sur le ventre et gigotait, le derrière
nu, pendant qu'on faisait sécher son pantalon. Lucien
éprouva quelque soulagement en pensant à Guigard :
il lui dirait demain : « J'ai couché avec Maud, c'est
une petite femme épatante, mon vieux : elle a ça dans
le sang. » Mais il était mal à l'aise : il se sentait nu dans
la chaleur poussiéreuse du métro, nu sous une mince
pellicule de vêtements, raide et nu à côté d'un prêtre,
en face de deux dames mûres, comme une grande
asperge souillée.

Guigard le félicita vivement. Il en avait un peu
assez de Fanny : « Elle a vraiment trop mauvais caractère. Hier elle m'a fait la tête toute la soirée. » Ils
tombèrent d'accord tous les deux : des femmes comme
ça, il fallait bien qu'il y en eût, parce qu'on ne pouvait
tout de même pas rester chaste jusqu'au mariage
et puis elles n'étaient pas intéressées, ni malades, mais
ç'aurait été une erreur de s'attacher à elles. Guigard
parla de vraies jeunes filles avec beaucoup de délica-
tesse et Lucien lui demanda des nouvelles de sa
sœur. « Elle va bien, mon vieux, dit Guigard, elle
dit que tu es un lâcheur. Tu comprends, ajouta-t-il
avec un peu d'abandon, je ne suis pas mécontent
d'avoir une sœur : sans ça, il y a des choses dont on ne
peut pas se rendre compte. » Lucien le comprenait
parfaitement. Par la suite, ils parlèrent souvent des
jeunes filles et ils se sentaient pleins de poésie, et
Guigard aimait à citer les paroles d'un de ses oncles,
qui avait eu beaucoup de succès féminins : « Je n'ai
peut-être pas toujours fait le bien, dans ma chienne
de vie, mais il y a une chose dont le Bon Dieu me
tiendra compte ; je me serais plutôt tranché les mains
que de toucher à une jeune fille. » Ils retournèrent
quelquefois chez les amies de Pierrette Guigard.

Lucien aimait beaucoup Pierrette, il lui parlait comme
un grand frère un peu taquin et il lui était reconnaissant parce qu'elle ne s'était pas fait couper les cheveux. Il était très absorbé par ses activités politiques ;
tous les dimanches matin, il allait vendre *L'Action
française* devant l'église de Neuilly. Pendant plus
de deux heures, Lucien se promenait de long en
large, le visage durci. Les jeunes filles qui sortaient de
la messe levaient parfois vers lui leurs beaux yeux
francs ; alors Lucien se détendait un peu, il se sentait
pur et fort ; il leur souriait. Il expliqua à la bande
qu'il respectait les femmes et il fut heureux de trouver
chez eux la compréhension qu'il avait souhaitée.
D'ailleurs, ils avaient presque tous des sœurs.

Le 17 avril, les Guigard donnèrent une sauterie
pour les dix-huit ans de Pierrette, et, naturellement,
Lucien fut invité. Il était déjà très ami avec Pierrette,
elle l'appelait son danseur, et il la soupçonnait d'être
un peu amoureuse de lui. Mme Guigard avait fait
venir une tapeuse, et l'après-midi promettait d'être
fort gai. Lucien dansa plusieurs fois avec Pierrette puis
il alla retrouver Guigard qui recevait ses amis dans
le fumoir. « Salut, dit Guigard, je crois que vous
vous connaissez tous : Fleurier, Simon, Vanusse, Le-
doux. » Pendant que Guigard nommait ses camarades,
Lucien vit qu'un grand jeune homme roux et frisé,
à la peau laiteuse et aux durs sourcils noirs s'approchait
d'eux en hésitant, et la colère le bouleversa. « Qu'est-
ce que ce type fait ici ? se demanda-t-il, Guigard
sait pourtant bien que je ne peux pas sentir les juifs ! »
Il pirouetta sur ses talons et s'éloigna rapidement
pour éviter les présentations. « Qu'est-ce que ce juif ?
demanda-t-il un moment plus tard à Pierrette. —
C'est Weill, il est aux Hautes Études Commerciales ;

mon frère l'a connu à la salle d'armes. — J'ai horreur
des juifs », dit Lucien. Pierrette eut un rire léger.
« Celui-là est plutôt bon garçon, dit-elle. Menez-moi
donc au buffet. » Lucien prit une coupe de champagne
et n'eut que le temps de la reposer : il se trouvait nez à
nez avec Guigard et Weill. Il foudroya Guigard des yeux
et fit volte-face. Mais Pierrette le saisit par le bras, et
Guigard l'aborda d'un air ouvert : « Mon ami Fleurier,
mon ami Weill, dit-il avec aisance, voilà : les présentations sont faites. » Weill tendit la main, et Lucien se
sentit très malheureux. Heureusement, il se rappela
tout à coup Desperreau : « Fleurier aurait foutu le
juif à l'eau pour de bon. » Il enfonça ses mains dans
ses poches, tourna le dos à Guigard et s'en fut. « Je ne
pourrai plus remettre les pieds dans cette maison »,
songea-t-il, en demandant son vestiaire. Il ressentait
un orgueil amer. « Voilà ce que c'est que de tenir
fortement à ses opinions ; on ne peut plus vivre en
société. » Mais dans la rue son orgueil fondit et Lucien
devint très inquiet. « Guigard doit être furieux ! » Il
hocha la tête et tenta de se dire avec conviction : « Il
n'avait pas le droit d'inviter un juif s'il m'invitait ! »
Mais sa colère était tombée ; il revoyait avec une sorte
de malaise la tête étonnée de Weill, sa main tendue, et
il se sentait enclin à la conciliation : « Pierrette pense
sûrement que je suis un mufle. J'aurais dû serrer cette
main. Après tout, ça ne m'engageait pas. Faire un
salut réservé et m'éloigner tout de suite après : voilà
ce qu'il fallait faire. » Il se demanda s'il était encore
temps de retourner chez les Guigard. Il s'approcherait
de Weill et lui dirait : « Excusez-moi, j'ai eu un malaise », il lui serrerait la main et lui ferait un bout
de conversation gentille. Mais non : c'était trop tard,
son geste était irréparable. Qu'avais-je besoin, pensa-

t-il avec irritation, de montrer mes opinions à des
gens qui ne peuvent pas les comprendre! » Il haussa
nerveusement les épaules : c'était un désastre. A
cet instant même, Guigard et Pierrette commentaient
sa conduite, Guigard disait : « Il est complètement fou! »
Lucien serra les poings. « Oh! pensa-t-il avec désespoir,
ce que je les hais! Ce que je hais les juifs! » et il essaya
de puiser un peu de force dans la contemplation de
cette haine immense. Mais elle fondit sous son regard,
il avait beau penser à Léon Blum qui recevait de
l'argent de l'Allemagne et haïssait les Français, il
ne ressentait plus rien qu'une morne indifférence.
Lucien eut la chance de trouver Maud chez elle. Il lui
dit qu'il l'aimait et la posséda plusieurs fois, avec une
sorte de rage. « Tout est foutu, se disait-il, je ne serai
jamais *quelqu'un*. » « Non, non! disait Maud, arrête,
mon grand chéri, pas ça, c'est défendu! » Mais elle
finit par se laisser faire : Lucien voulut l'embrasser
partout. Il se sentait enfantin et pervers ; il avait
envie de pleurer.

Le lendemain matin, au lycée, Lucien eut un ser-
rement de cœur en apercevant Guigard. Guigard
avait l'air sournois et fit semblant de ne pas le voir.
Lucien rageait si fort qu'il ne put prendre des notes :
« Le salaud! pensait-il, le salaud! » A la fin du cours,
Guigard s'approcha de lui, il était blême. « S'il rous-
pète, pensa Lucien, terrorisé, je lui fous des claques. »
Ils demeurèrent un instant côte à côte, chacun regardant la pointe de ses souliers. Enfin Guigard dit,
d'une voix altérée : « Excuse-moi, mon vieux, je n'aurais pas dû te faire ce coup-là. » Lucien sursauta et
le regarda avec méfiance. Mais Guigard continua péniblement : « Je le rencontre à la salle, tu comprends,
alors j'ai voulu... nous faisons des assauts ensemble,

et il m'avait invité chez lui, mais je comprends, tu
sais, je n'aurais pas dû, je ne sais pas comment ça se
fait, mais, quand j'ai écrit les invitations, je n'y ai pas
pensé une seconde... » Lucien ne disait toujours rien
parce que les mots ne passaient pas, mais il se sentait
porté à l'indulgence. Guigard ajouta, la tête basse :
« Eh bien, pour une gaffe... — Espèce d'andouille,
dit Lucien, en lui frappant sur l'épaule, je sais bien
que tu ne l'as pas fait exprès. » Il dit avec générosité :
« J'ai eu mes torts, d'ailleurs. Je me suis conduit
comme un mufle. Mais qu'est-ce que tu veux, c'est
plus fort que moi, je ne peux pas les toucher, c'est
physique, j'ai l'impression qu'ils ont des écailles sur
les mains. Qu'a dit Pierrette ? — Elle a ri comme une
folle, dit Guigard piteusement. — Et le type ? — Il a
compris. J'ai dit ce que j'ai pu, mais il a mis les voiles
au bout d'un quart d'heure. » Il ajouta, toujours
penaud : « Mes parents disent que tu as eu raison,
que tu ne pouvais agir autrement du moment que tu
as une conviction. » Lucien dégusta le mot de « conviction » ; il avait envie de serrer Guigard dans ses
bras : « C'est rien, mon vieux, lui dit-il ; c'est rien,
du moment qu'on reste copains. » Il descendit le boulevard Saint-Michel dans un état d'exaltation extraordinaire : il lui semblait qu'il n'était plus lui-même.

Il se dit : « C'est drôle, ça n'est plus moi, je ne me
reconnais pas! » Il faisait chaud et doux : les gens
flânaient, portant sur leurs visages le premier sourire
étonné du printemps ; dans cette foule molle, Lucien
s'enfonçait comme un coin d'acier, il pensait : « Ça
n'est plus moi. » Moi, la veille encore, c'était un gros
insecte ballonné, pareil aux grillons de Férolles ; à
présent, Lucien se sentait propre et net comme un
chronomètre. Il entra à *La Source* et commanda un

pernod. La bande ne fréquentait pas *La Source* parce
que les métèques y pullulaient ; mais, ce jour-là, les
métèques et les juifs n'incommodaient pas Lucien.
Au milieu de ces corps olivâtres, qui bruissaient légèrement, comme un champ d'avoine sous le vent, il se
sentait insolite et menaçant, une monstrueuse horloge
accotée contre la banquette et qui rutilait. Il reconnut avec amusement un petit juif que les J. P. avaient
rossé, au trimestre précédent, dans les couloirs de la
faculté de droit. Le petit monstre, gras et pensif,
n'avait pas gardé la trace des coups, il avait dû rester
cabossé quelque temps et puis il avait repris sa forme
ronde ; mais il y avait en lui une sorte de résignation
obscène.

Pour le moment, il avait l'air heureux : il bâilla
voluptueusement ; un rayon de soleil lui chatouillait
les narines ; il se gratta le nez et sourit. Était-ce un
sourire ? ou plutôt une petite oscillation qui avait pris
naissance au-dehors, quelque part dans un coin de
la salle, et qui était venue mourir sur sa bouche ?
Tous ces métèques flottaient dans une eau sombre et
lourde dont les remous ébranlaient leurs chairs molles,
soulevant leurs bras, agitant leurs doigts, jouant un
peu avec leurs lèvres. Les pauvres types! Lucien avait
presque pitié d'eux. Qu'est-ce qu'ils venaient faire en
France ? Quels courants marins les avaient apportés
et déposés ici ? Ils avaient beau s'habiller décemment,
chez des tailleurs du boulevard Saint-Michel, ils
n'étaient guère plus que des méduses. Lucien pensa
qu'il n'était pas une méduse, qu'il n'appartenait pas
à cette faune humiliée, il se dit : « Je suis en plongée! » Et puis, tout à coup, il oublia *La Source* et les
métèques, il ne vit plus qu'un dos, un large dos bossué par les muscles, qui s'éloignait avec une force

tranquille, qui se perdait, implacable, dans la brume.
Il vit aussi Guigard : Guigard était pâle, il suivait
des yeux ce dos, il disait à Pierrette invisible : « Eh
bien, pour une gaffe!... » Lucien fut envahi par une
joie presque intolérable : ce dos puissant et solitaire,
c'était le *sien*! Et la scène s'était passée hier! Pendant
un instant, au prix d'un violent effort, il fut Guigard,
il suivit son propre dos avec les yeux de Guigard,
il éprouva devant lui-même l'humilité de Guigard et
se sentit délicieusement terrorisé. « Ça leur servira de
leçon! » pensa-t-il. Le décor changea : c'était le boudoir
de Pierrette, ça se passait dans l'avenir. Pierrette
et Guigard désignaient, d'un air un peu confit, un
nom sur une liste d'invitations. Lucien n'était pas
présent, mais sa puissance était sur eux. Guigard
disait : « Ah! non, pas celui-là! Eh bien, avec Lucien,
ça ferait du joli ; Lucien qui ne peut pas souffrir les
juifs! » Lucien se contempla encore une fois, il pensa :
« Lucien, c'est moi! Quelqu'un qui ne peut pas souffrir
les juifs. » Cette phrase, il l'avait souvent prononcée,
mais aujourd'hui ça n'était pas pareil aux autres
fois. Pas du tout. Bien sûr, en apparence, c'était une
simple constatation, comme si on avait dit : « Lucien
n'aime pas les huîtres », ou bien : « Lucien aime la
danse. » Mais il ne fallait pas s'y tromper : l'amour de
la danse, peut-être qu'on aurait pu le découvrir aussi
chez le petit juif, ça ne comptait pas plus qu'un
frisson de méduse ; il n'y avait qu'à regarder ce
sacré youtre pour comprendre que ses goûts et ses
dégoûts restaient collés à lui comme son odeur,
comme les reflets de sa peau, qu'ils disparaîtraient
avec lui comme les clignotements de ses lourdes paupières, comme ses sourires gluants de volupté. Mais
l'antisémitisme de Lucien était d'une autre sorte :

impitoyable et pur, il pointait hors de lui comme une lame d'acier, menaçant d'autres poitrines. « Ça, pensa-t-il, c'est... c'est sacré! » Il se rappela que sa mère, quand il était petit, lui disait parfois d'un certain ton : « Papa travaille dans son bureau. » Et cette phrase lui semblait une formule sacramentelle qui lui conférait soudain une nuée d'obligations religieuses, comme de ne pas jouer avec sa carabine à air comprimé, de ne pas crier « Tararaboum » ; il marchait dans les couloirs sur la pointe des pieds, comme s'il avait été dans une cathédrale. « A présent, c'est mon tour », pensa-t-il avec satisfaction. On disait en baissant la voix : « Lucien n'aime pas les juifs », et les gens se sentaient paralysés, les membres transpercés d'une nuée de petites fléchettes douloureuses. « Guigard et Pierrette, se dit-il avec attendrissement, sont des enfants. » Ils avaient été très coupables, mais il avait suffi que Lucien leur montrât un peu les dents, et, aussitôt, ils avaient eu du remords, ils avaient parlé à voix basse et s'étaient mis à marcher sur la pointe des pieds.

Lucien, pour la seconde fois, se sentit plein de respect pour lui-même. Mais, cette fois-ci, il n'avait plus besoin des yeux de Guigard : c'était à ses propres yeux qu'il paraissait respectable — à ses yeux qui perçaient enfin son enveloppe de chair, de goûts et de dégoûts, d'habitudes et d'humeurs. « Là où je me cherchais, pensa-t-il, je ne pouvais pas me trouver. » Il avait fait, de bonne foi, le recensement minutieux de tout ce qu'il *était*. « Mais si je ne devais être que ce que je suis, je ne vaudrais pas plus que ce petit youtre. » En fouillant ainsi dans cette intimité de muqueuse, que pouvait-on découvrir, sinon la tristesse de la chair, l'ignoble mensonge de l'égalité, le désordre ?

« Première maxime, se dit Lucien, ne pas chercher
à voir en soi ; il n'y a pas d'erreur plus dangereuse. »
Le vrai Lucien — il le savait à présent —, il fallait
le chercher dans les yeux des autres, dans l'obéissance
craintive de Pierrette et de Guigard, dans l'attente
pleine d'espoir de tous ces êtres qui grandissaient
et mûrissaient pour lui, de ces jeunes apprentis qui
deviendraient *ses* ouvriers, des Férolliens grands
et petits, dont il serait un jour le maire. Lucien avait
presque peur, il se sentait presque trop grand pour
lui. Tant de gens l'attendaient, au port d'armes :
et lui il était, il serait toujours cette immense attente
des autres. « C'est ça, un chef », pensa-t-il. Et il vit
réapparaître un dos musculeux et bossué, et puis,
tout de suite après, une cathédrale. Il était dedans,
il s'y promenait à pas de loup sous la lumière tamisée
qui tombait des vitraux. « Seulement, ce coup-ci, c'est
moi la cathédrale! » Il fixa son regard avec intensité
sur son voisin, un long Cubain brun et doux comme
un cigare. Il fallait absolument trouver des mots
pour exprimer son extraordinaire découverte. Il éleva
doucement, précautionneusement sa main jusqu'à son
front, comme un cierge allumé, puis il se recueillit
un instant, pensif et sacré, et les mots vinrent d'eux-
mêmes, il murmura : « « J'AI DES DROITS! » Des droits!
Quelque chose dans le genre des triangles et des
cercles : c'était si parfait que ça n'existait pas, on avait
beau tracer des milliers de ronds avec des compas, on
n'arrivait pas à réaliser un seul cercle. Des générations
d'ouvriers pourraient, de même, obéir scrupuleuse-
ment aux ordres de Lucien, ils n'épuiseraient jamais
son droit à commander ; les droits, c'était, par-delà
l'existence, comme les objets mathématiques et les
dogmes religieux. Et voilà que Lucien, justement,

c'était ça : un énorme bouquet de responsabilités et
de droits. Il avait longtemps cru qu'il existait par
hasard, à la dérive : mais c'était faute d'avoir assez
réfléchi. Bien avant sa naissance, sa place était marquée
au soleil, à Férolles. Déjà — bien avant, même, le
mariage de son père — on l'*attendait*; s'il était venu
au monde, c'était pour occuper cette place : « J'existe,
pensa-t-il, parce que j'ai le droit d'exister. » Et, pour
la première fois, peut-être, il eut une vision fulgurante
et glorieuse de son destin. Il serait reçu à Centrale,
tôt ou tard (ça n'avait d'ailleurs aucune importance).
Alors, il laisserait tomber Maud (elle voulait tout le
temps coucher avec lui, c'était assommant ; leurs chairs
confondues dégageaient à la chaleur torride de ce
début de printemps une odeur de gibelotte un peu
roussie. « Et puis Maud est à tout le monde, aujour-
d'hui à moi, demain à un autre, tout ça n'a aucun
sens ») ; il irait habiter à Férolles. Quelque part en
France, il y avait une jeune fille claire dans le genre
de Pierrette, une provinciale aux yeux de fleur, qui se
gardait chaste pour lui : elle essayait parfois d'imaginer son maître futur, cet homme terrible et doux ;
mais elle n'y parvenait pas. Elle était vierge ; elle reconnaissait au plus secret de son corps le droit de
Lucien à la posséder seul. Il l'épouserait, elle serait
sa femme, le plus tendre de ses droits. Lorsqu'elle se
dévêtirait le soir, à menus gestes sacrés, ce serait
comme un holocauste. Il la prendrait dans ses bras avec
l'approbation de tous, il lui dirait : « Tu es à moi ! »
Ce qu'elle lui montrerait, elle aurait le devoir de ne le
montrer qu'à lui, et l'acte d'amour serait pour lui
le recensement voluptueux de ses biens. Son plus
tendre droit ; son droit le plus intime : le droit d'être
respecté jusque dans sa chair, obéi jusque dans son

lit. « Je me marierai jeune », pensa-t-il. Il se dit aussi qu'il aurait beaucoup d'enfants ; puis il pensa à l'œuvre de son père ; il était impatient de la continuer et il se demanda si M. Fleurier n'allait pas bientôt mourir.

Une horloge sonna midi ; Lucien se leva. La métamorphose était achevée : dans ce café, une heure plus tôt, un adolescent gracieux et incertain était entré ; c'était un homme qui en sortait, un chef parmi les Français. Lucien fit quelques pas dans la glorieuse lumière d'un matin de France. Au coin de la rue des Écoles et du boulevard Saint-Michel, il s'approcha d'une papeterie et se mira dans la glace : il aurait voulu retrouver sur son visage l'air imperméable qu'il admirait sur celui de Lemordant. Mais la glace ne lui renvoya qu'une jolie petite figure butée, qui n'était pas encore assez terrible : « Je vais laisser pousser ma moustache », décida-t-il.

DU MÊME AUTEUR

nrf

Romans :

LA NAUSÉE.
LES CHEMINS DE LA LIBERTÉ :
   I. L'Age de raison.
   II. Le Sursis.
   III. La Mort dans l'âme.

Nouvelles :

LE MUR (*Le Mur — La Chambre — Érostrate — Intimité — L'Enfance d'un chef*).

Théâtre :

LES MAINS SALES.
LE DIABLE ET LE BON DIEU.
THÉÂTRE, I : *Les Mouches — Huis clos — Morts sans sépulture — La Putain respectueuse.*
KEAN (*d'après Alexandre Dumas*).
NEKRASSOV.
LES SÉQUESTRÉS D'ALTONA.

Littérature :

SITUATIONS, I, II, III, IV, V, VI, VII, VIII, IX.
SAINT GENET, COMÉDIEN ET MARTYR (*tome premier des* Œuvres complètes *de Jean Genet*).
BAUDELAIRE.
LES MOTS.
QU'EST-CE QUE LA LITTÉRATURE?
L'IDIOT DE LA FAMILLE, I, II et III (*Gustave Flaubert*).
PLAIDOYER POUR LES INTELLECTUELS.
UN THÉÂTRE DE SITUATIONS.

Cet ouvrage
a été achevé d'imprimer
sur les presses de l'Imprimerie Bussière
à Saint-Amand (Cher), le 3 juillet 1979.
Dépôt légal : 3ᵉ trimestre 1979.
Nº d'édition : 25280.
Imprimé en France.
(1359)

25280